Français · Deuxième cycle du primaire

Multitextes

Ardoise

Danielle Lefebvre
Directrice de collection

Volume 2

LES ÉDITIONS
CEC
Une compagnie de Quebecor Media

9001, boul. Louis-H.-La Fontaine, Anjou (Québec) Canada H1J 2C5
Téléphone : 514-351-6010 • Télécopieur : 514-351-3534

Direction de l'édition
Carole Lortie

Direction de la production
Danielle Latendresse

Direction de la coordination
Isabel Rusin

Charge de projet
Mélanie Perreault

Conception et réalisation
Axis communication

Conception et réalisation de la page couverture
Studio Douville

Illustration de la page couverture
Josée Masse

Illustrations et bricolages
Sylvie Arsenault : collages : p. 102-104, 143.
Christiane Beauregard : p. 53, 81-83, 114-115
Hélène Belley : p. 16, 54-56.
Yves Boudreau : p. 51, 128-129.
Nicolas Debon : p. 138-141.
Daniel Dumont : p. 34-35, 88-91.
Mylène Henry : p. 42-44, 84-86.
Sophie Lewandowski : p. 130-133.
Josée Masse : p. 92-95.
Jean Morin : p. 25-28, 75-76, 79-80, 124-127.
Gérard Om : coloration : p. 21-22, 120-121.
Joël Perreault : p. 45-46, 72-74.
Yvon Roy : p. 64-65, 96-98, 101.
Rémy Simard : p. 57-59, 77-78, 134-137.
Meng Siow : p. 69-71.
Daniela Zékina : p. 66-68.

Sources iconographiques
p. 17, Canadian Astronaut Roberta Bondar
© *Bettmann/CORBIS/MAGMA*
p. 36, © *STOCKBYTE*, © *PHOTODISC*
p. 37-39, © *Marcel La Haye*, 2002
p. 52, © *CREATIV COLLECTION*, © *ARTVILLE*
p. 75, © *COMSTOCK*
p. 105, © *EYE WIRE*, © *PHOTODISC*

Dans cet ouvrage, la féminisation des titres de fonctions et des textes s'appuie sur des règles d'écriture proposées par l'Office de la langue française dans le guide *Au féminin,* Les publications du Québec, 1991.

Les Éditions CEC inc. remercient le gouvernement du Québec de l'aide financière accordée à l'édition de cet ouvrage par l'entremise du Programme de crédit d'impôt pour l'édition de livres, administré par la SODEC.

© 2003, Les Éditions CEC inc.
9001, boul. Louis-H.-La Fontaine
Anjou (Québec) H1J 2C5

Dépôt légal : 2e trimestre 2003
Bibliothèque nationale du Québec
Bibliothèque nationale du Canada

ISBN 978-2-7617-2071-7

Imprimé au Canada
6   7   8   9   10   15   14   13   12   11

Signification des symboles

 : texte facile

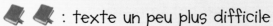 : texte un peu plus difficile

 : texte plus difficile

Table des matières

Unité 9 — Sur les ailes d'un conte

Unité 10 — En scène

Unité 11   Repor... Terre

Unité 12   À destination

On se faxe, on se digitalise et on déjeune !

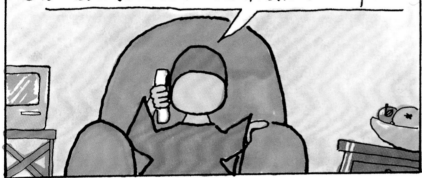

ARSENAULT, Line. « On se faxe, on se digitalise, on se téléporte et on déjeune ! »
La vie qu'on mène, Laval, © Les Éditions Mille-Îles et Les 400 coups, 2002.

PLUS TARD

Mais lulu, tu ne dors toujours pas ?

Non, je n'y arrive pas... Je pense trop à tous ces enfants malheureux... Ça me donne envie de pleurer...

C'est pas juste la vie... Moi, je suis heureuse. Pourquoi pas eux ?

C'est normal d'être triste, tu sais... Moi aussi, j'ai du mal à accepter l'idée que des gens vivent dans une telle misère...

J'aimerais tellement faire quelque chose pour changer cela...

Beaucoup de gens s'organisent pour aider les plus démunis. On peut réfléchir ensemble et voir comment on pourrait les aider. Tu veux ?

LE LENDEMAIN

Super, c'est ma grand-mère qui est venue me chercher aujourd'hui !

Tiens, j'ai une lettre de Mamadou, mon filleul africain...

Tu es la marraine d'un garçon africain, toi ?

Després, Bernadette (pour le texte) et Marylise Morel (pour les illustrations).
« Lulu veut aider les enfants malheureux », © *Astrapi*, Bayard Presse Jeunesse, no 561, novembre 2002.

C'EST UNE NOUVELLE REVUE DE BANDES DESSINÉES POUR ENFANTS, MADAME... C'EST ÉDITÉ PAR GRUBER & SHON ET, MA FOI, C'EST ASSEZ BIEN FAIT.

DEDANS, IL Y A UNE NOUVELLE BD "INSPECTEUR CASTAR", ÇA A L'AIR VRAIMENT TERRIBLE !

BON, BON...

D'ACCORD, JE LE PRENDS AUSSI,

COOL !

LIBRAIRIE

MERCI, M'MAN ! ... JE LE FERAI LIRE À PAPA ...

ÇA LUI DONNERA P'T-ÊTRE DES IDÉES POUR ARRÊTER LES BANDITS.

LUDOVIC...

C'EST VRAI, QUOI... DEPUIS QU'IL EST POLICIER, IL N'A JAMAIS COINCÉ PERSONNE.

ON TE L'A DIT MILLE FOIS, LUDO, IL ÉTAIT À L'ADMINISTRATION DANS DES BUREAUX,

OUI, MAIS PLUS MAINTENANT,

BAILLY, MATHY et LAPIERE. «Tranches de quartier», *Ludo*, Belgique, © Dupuis, 1998.

Coréen ou Québécois ?

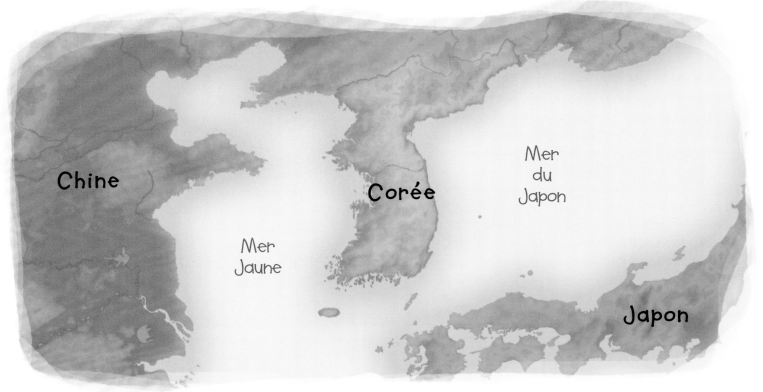

Je suis arrivé au Québec il y a treize ans. J'en ai treize et demi maintenant. Tout ce que je connais de la Corée, ça vient de mon cours de géographie. Il fallait préparer un exposé sur un pays. J'ai choisi le mien.

Population de la Corée du Sud : 41 millions d'habitants, sur un territoire cent fois plus petit que le Canada ! Peuplé aussi densément que la Corée, le Canada compterait quatre milliards d'habitants… pratiquement la population de la planète. Je crois que cette statistique a même impressionné madame Lauzon, la professeure de géo.

Située entre la Chine, le Japon et la Russie, la Corée a été envahie plusieurs fois, par les Mongols, les Japonais… puis, il y a eu la guerre dans les années cinquante. Une vraie de vraie, celle-là. Tout a commencé sous une grosse pluie de mousson. Une histoire que je n'ai pas encore très bien comprise entre les Chinois et les Américains, même les Nations Unies s'en sont mêlées. Je n'ai pas saisi pourquoi ils sont venus se chamailler chez nous. Tu parles d'une chicane! Ça s'est terminé par le déchirement de la Corée et par deux millions de morts. Deux millions! C'est comme si on avait rayé Montréal de la carte du Québec d'un trait de crayon rouge. Comme si Montréal n'avait été qu'une grosse faute d'orthographe sous le stylo atomique d'un professeur de français trop zélé. Comme si, après, il n'était resté que quelques tas de pierres calcinées et l'odeur du mont Royal brûlé au napalm. Plus un chat. Rien que des morts.

Il a fallu que j'explique à mes camarades de classe ce que c'était que le napalm. Je leur ai dit que ça servait à faire des bombes et que c'était très toxique, beaucoup plus que les BPC, dioxines et compagnie.

C'est curieux. Le coréen est une langue proche du turc et du finnois mais ça s'écrit comme le chinois! J'aurais aimé dire quelques mots en coréen pendant mon exposé mais j'ai laissé tomber. Trop compliqué. De toute façon, je ne voulais pas avoir l'air d'un chien savant devant la classe.

Au bout du compte, j'ai eu une excellente note pour mon travail de géo. En prime, j'ai appris plein de choses intéressantes sur mon lieu d'origine et sur moi-même.

Qui je suis ? Je le répète, je suis aussi Québécois que n'importe qui. Aussi maladroit que tout le monde avec des baguettes ; j'ai besoin, moi aussi, d'un couteau et d'une fourchette pour manger. Et j'aime encore mieux bouffer avec mes doigts, comme tous les amateurs de *junk food*.

Chose certaine : je ne suis pas un immigrant. Je suis aussi Québécois que mes parents, Robert Léveillé et Marie Jutras. Mais, en même temps, je suis différent d'eux. On me le rappelle assez souvent. C'était pire quand j'étais petit et que ma mère m'amenait avec elle dans le métro. Les vieilles madames me regardaient en souriant :

— Y'est-tu assez *cute*, le p'tit Chinois ?

C'est quand leurs regards montaient vers ma mère qu'elles commençaient à se poser des questions. Pauvres vieilles madames. Mais elles avaient un peu raison parce que moi non plus, je ne comprenais pas toujours pourquoi je tenais la main de cette mère étrangère. Même quand j'étais tout petit.

Que je le veuille ou non, j'ai quelque chose de coréen en moi.

POUPART, Roger. *Premier but*, Montréal, © Éditions du Boréal, 1990.

Roberta Bondar, la première Canadienne dans l'espace

Fiche de lecture 5

Roberta Bondar est née le 4 décembre 1945 à Sault Ste-Marie, en Ontario. Amoureuse de la nature et passionnée des sciences de la vie, elle fait des études universitaires en zoologie, en pathologie et en médecine.

En 1983, Roberta devient astronaute : ses licences de pilote, de parachutiste et de plongeuse sous-marine lui sont fort utiles ! Le 22 janvier 1992, Roberta Bondar devient la première Canadienne à voyager dans l'espace.

La première mission spatiale internationale a lieu en 1992. Une mission axée sur la recherche scientifique : les sept astronautes de la navette Discovery doivent réaliser en huit jours plus de 40 expériences préparées par 200 chercheurs de 14 pays !

Roberta Bondar, la première Canadienne à aller dans l'espace, est fort occupée…

Pendant qu'une partie de l'équipage prend la relève, les autres se couchent. (Enfin, façon de parler...)

ZZZ ZZZ

Quelques heures plus tard...

Fatigué, Norm ?

Curieux... C'est comme si je n'avais pas fermé l'œil de la nuit !

Encore un peu d'œufs brouillés, Bill ?

Euh... ça va, merci, je suis suffisamment embrouillé...

C'est son premier vol...

Le mal de l'espace – la version spatiale du mal des transports – affecte près de la moitié des astronautes.

En état d'apesanteur, il n'y a plus ni haut ni bas. Les capteurs d'équilibre – yeux et oreilles – sont désorientés. Roberta se prête à des tests sur la chaise pivotante : renversant !

Et pas de tout repos !

De plus, le sang a tendance à remonter vers le haut du corps, – plus près du cœur – d'où le syndrome de la « grosse tête ».

!?

Non, ce n'est pas une vie de tout repos ! Mais il y a des compensations...

Comme c'est beau !

Pas autant que moi! J'ai grandi de quatre centimètres depuis le départ!

Dans l'espace, la colonne vertébrale, qui ne supporte plus le poids du corps, s'étire et se redresse.

Jour 7. La mission STS 42 tire à sa fin.

Les astronautes procèdent aux dernières expériences et rangent le matériel.

Dommage... J'aurais bien aimé poursuivre mes recherches médicales...

30 janvier 1992. La navette Discovery atterrit à la base militaire d'Edwards, en Californie.

DAVID, Johanne, Marie-Pier ÉLIE (pour le texte) et Réal GODBOUT (pour les illustrations). «Roberta Bondar. La première Canadienne dans l'espace », *Les Grands Débrouillards de Graham Bell à Daniel Langlois*, Saint-Lambert, © Soulières éditeur, 2001.

Roberta Bondar, avez-vous un message pour les jeunes qui veulent devenir astronautes?

N'abandonnez jamais votre rêve.

...quant à moi, je passe le flambeau aux générations futures

En 1992, Julie Payette est recrutée par l'Agence spatiale canadienne.

Zapper ou ne pas zapper ? voilà la question

Une dispute familiale

Dans le salon des Lafrance, un petit drame est en train de se jouer. Jérémie et sa sœur aînée Alma se disputent la télécommande de la télévision. Ce modeste appartement ne possède qu'un seul appareil qui trône dans la salle de séjour. Le frère et la sœur doivent, en principe, choisir les programmes à tour de rôle, mais cet arrangement ne fonctionne pas toujours…

— Vous vous êtes encore bagarrés au sujet de la télécommande ? dit monsieur Lafrance. J'en ai assez ! Je la confisque jusqu'à nouvel ordre.

Il éteint l'appareil.

— De plus, vous êtes tous les deux privés de télévision pour le reste de la semaine. Maintenant, remettez de l'ordre dans cette pièce. Nous discuterons plus tard pour savoir qui paiera les pots cassés.

Démoralisés, le frère et la sœur n'ont plus le cœur à la brouille. Pendant qu'ils balaient les débris de la lampe, Alma dit à Jérémie, avec un petit sourire en coin :

— Au fond, c'est toi le plus puni. C'est toi, l'enragé de télévision.

« Elle a raison », pense Jérémie. « Si je m'écoutais, je regarderais la télé toute la journée. »

On pourrait le qualifier de « télévore » (on dit bien « herbivore » des bêtes qui consomment de l'herbe en grande quantité). En effet, il allume l'appareil dès le matin pour regarder des dessins animés en avalant ses céréales, si sa sœur Alma ne l'a pas branché avant sur un documentaire. De retour de l'école, il ne manque jamais l'une ou l'autre des séries réservées aux jeunes à cette heure, sauf si sa sœur n'a pas déjà réquisitionné l'appareil pour regarder un reportage sur les mœurs des ouistitis ou des alligators. Il suit ensuite les informations en compagnie de ses parents. C'est très divertissant, les informations : ça ressemble souvent à des romans d'aventures et même à des épisodes de science-fiction.

Avant d'aller se coucher, il obtient parfois la permission de regarder un film, quand il n'y a pas d'école le lendemain, et quand Alma n'a pas réussi à imposer son choix d'un programme sur la faune et la flore des forêts tropicales. « Ah ! quelle calamité que d'avoir une grande sœur passionnée de sciences naturelles quand tout ce qui m'intéresse, c'est la fiction et le fantastique », pense-t-il chaque fois qu'il doit lui céder. « Ma sœur, je voudrais parfois avoir une baguette magique pour la faire disparaître... », souhaite-t-il quand il se sent trop frustré.

Jérémie est tellement enragé de télé qu'il fait ses devoirs et reçoit ses amis installé devant la fenêtre clignotante du petit écran. Cette obsession a découragé la plupart de ses camarades dont les propositions de jeux étaient toujours rejetées. Seule Katia Werner lui est restée fidèle, car cette fille est aussi maniaque que lui. Elle est très heureuse de regarder défiler les images en sa compagnie et elle ne suggère jamais une partie de jeu vidéo ou de ballon-panier. C'est l'harmonie parfaite entre les deux enfants : il est difficile de se chamailler quand on a les yeux rivés sur un même spectacle.

Jérémie, un garçon de taille moyenne, aux cheveux châtains et aux yeux marron, est souvent dans la lune. Katia, elle, se distingue par son allure dégingandée et ses grosses lunettes de myope. Plutôt gauche de nature, elle ne se lie pas d'amitié facilement. C'est peut-être leur solitude respective qui a rapproché le distrait et la timide.

Un projet qui mènera loin

Le lendemain de cette querelle, Sylvie, enseignante de 6e année, propose à la classe d'entreprendre une recherche sur *l'invention la plus extraordinaire du 20e siècle.*

— Ce sera notre projet de fin d'année, précise-t-elle.

Ce sujet soulève l'enthousiasme des élèves. On se met à chuchoter :

« C'est l'électricité.. », « C'est le téléphone… », « Non, l'avion… », « Non, non, c'est l'ordinateur… ». Sylvie fait taire les murmures.

— Je constate que vous avez l'embarras du choix : le 20e siècle a été fertile en inventions qui ont changé nos vies. Vous avez jusqu'à demain pour vous décider, déclare-t-elle. Vous écrirez sur un papier votre nom suivi de l'invention de votre choix. Nous les afficherons sur le babillard. Ainsi, ceux qui auront la même sélection pourront former des équipes. Jérémie et Katia échangent un regard. Pour eux, le sujet est tout trouvé : quoi de plus extraordinaire que ce petit écran permettant de faire entrer chez soi des rois, des vedettes, des célébrités de toutes sortes ? Quelle extraordinaire façon de voyager dans tous les pays du monde sans bouger de son fauteuil ! Et surtout, quelle porte ouverte sur tous les mondes imaginaires, passés, présents et futurs ! Sans se parler, Katia et Jérémie se sont déjà mis d'accord.

MAJOR, Henriette. *Zapper ou ne pas zapper ? voilà la question*, Saint-Lambert, © Soulières éditeur, 2000.

Oukélé la télé ?

Comme tous les matins, Stéphane se jetait encore plus vite sur le journal que sur ses tartines et son chocolat chaud. Ces pages imprimées n'étaient pourtant pas si appétissantes que cela, remplies de disputes politiques, de terrorisme, de guerres lointaines. Mais ce n'étaient pas les événements mondiaux, ni même les nouvelles locales, encore moins les petites annonces que Stéphane savourait ostensiblement à la table du petit déjeuner, c'était la page consacrée aux programmes de télévision.

Stéphane adorait la télévision. Il n'imaginait rien d'aussi épatant que ce cube grisâtre qui avait le pouvoir, par un simple branchement, de s'animer et d'animer ceux qui le regardaient. La vie entière était contenue dans cette boîte à surprises. Tantôt ça chantait, tantôt ça dansait.

Ce cube pouvait aussi parler sérieusement de choses sérieuses. Ou encore passer de fabuleux films d'antan sortis d'une antique cinémathèque. Comme avec une baguette magique, abracadabra, si on penchait pour le théâtre, une pièce apparaissait ; si on préférait la musique, abracadabra, les accords d'un concert s'envolaient. Tout, chez soi, sans lever le petit doigt… ou presque.

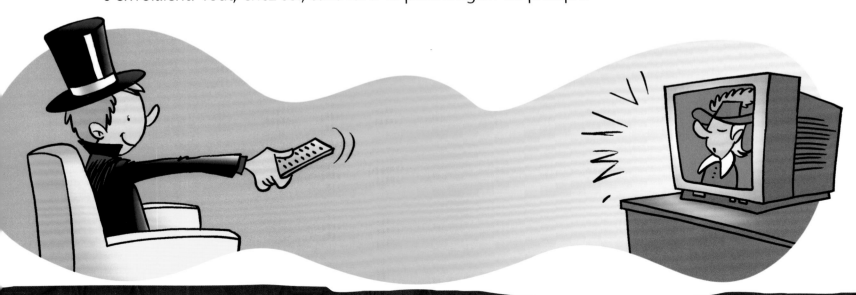

Chaque matin, Stéphane se préparait un petit emploi du temps d'émissions télévisées pour sa soirée. Il prenait plaisir à composer un programme équilibré : une dose d'actualités pour se tenir au courant des derniers événements qui bousculent la planète, une dose de documentaire pour s'instruire, et une bonne dose de divertissements pour oublier ce qu'il savait. [...]

— Si on regardait un bon film américain, ce soir, Papa ?

— Ah oui, de qui ?

Stéphane se référa au journal.

— De James Whale.

— Je ne connais pas. Comment s'appelle le film ?

Ça voulait dire que ce n'était pas la peine d'insister.

— *La Fiancée de Frankenstein.*

— Est-il en version originale ?

Avec une lueur d'espoir, Stéphane chercha ce renseignement capital.

— Ils ne le disent pas.

— Alors il sera en version française, et ça ne t'apportera rien d'écouter un doublage en français. Tu n'en profiterais même pas pour améliorer ton anglais, répondit son père, catégorique.

— Le film est de 1935. Il est peut-être muet, Papa.

La mort dans l'âme, Stéphane lâcha prise, et laissa tomber ce douloureux sujet de conversation, sachant que c'était perdu d'avance, d'autant que le film passait à 23 h 05. […]

Tout ce qu'il demandait de la vie, c'était de pouvoir regarder la télé tranquillement comme tout le monde. Pour ajouter à son tourment, sur le chemin de l'école, le pauvre Stéphane passait devant un magasin de télévisions. Tous ces écrans, pareils à une confrérie secrète, le fixaient, le suppliaient, l'invitaient à agir. Il fallait faire quelque chose.

À l'école, la conversation tournait inévitablement autour d'une émission, d'un film, d'un jeu ou d'une enquête montrée à la télé la veille.

— Tu as vu le film hier soir ?

— Oui, c'était chouette !

— Super !

— On l'a enregistré au magnétoscope.

Et lui, où était-il pendant que tout le monde se bousculait, s'enivrait devant le petit écran ? Lui, il était dans sa chambre en train de se tourmenter et de s'arracher les cheveux en recherchant la nouvelle cachette de la clef de la cave. [...]

Toutefois, il y avait des trêves. Quand les parents partaient en week-end, pendant les vacances, quand Stéphane jurait qu'une émission était indispensable à sa future carrière, à sa culture, à son hygiène mentale, et que de toute façon il n'avait pas de devoirs ; quand il avait une rhinopharyngite, une angine, ou tout autre cadeau du ciel. Mais la plupart du temps, c'était invivable, insupportable, intenable. [...]

Stéphane décida de réagir.

Il économisa sur son argent de poche, il mendia à droite et à gauche auprès de ses tantines et de son pépé, se priva de tas d'articles de première nécessité tels que bonbons, pâtisseries et modèles réduits. Centime par centime, il mit de côté un pécule. [...] Sur le trajet de l'école, il avait vu dans la vitrine des « Mille et Une Télés » une télévision d'occasion en parfait état de marche, bien qu'elle n'eût que deux chaînes, pour seulement 300 francs.

Incroyable ! Il entra et dit :

— J'aimerais acheter cette télé.

MORGENSTERN, Susie. *Oukélé la télé ?*
Paris, © Éditions Gallimard, 1998
(Coll. Folio Cadet).

Le cinéma d'animation

avec Norman Maclaren
et les créateurs de
Tony de Peltrie

NORMAN MC LAREN NAÎT EN ÉCOSSE EN 1914.

ÉCOSSE
• Glasgow
ANGLETERRE

SON PÈRE EST PEINTRE EN BÂTIMENT ET POSSÈDE UNE PETITE BOUTIQUE DE DÉCORATION.

LE JEUNE MC LAREN..

.. S'INTÉRESSE AUSSI À LA DÉCORATION !

À L'ÂGE DE 18 ANS IL S'INSCRIT À UNE GRANDE ÉCOLE DE GLASGOW EN DÉCORATION INTÉRIEURE.

MAIS TRÈS VITE SON INTÉRÊT CHANGE.

QU'EST-CE QU'ON FAIT CE SOIR, NORMAN ?

AVEC DES COPAINS, IL DEVIENT UN MORDU DU CINÉMA.

HA HA HA HA!

CE FILM EST AUSSI DRÔLE QU'UNE BANDE DESSINÉE !

TIENS! ÇA ME DONNE UNE IDÉE

SALLE DE PROJECTION

JE PEUX GARDER CES VIEUX FILMS?

SI TU VEUX. MAIS ATTENTION, ÇA PREND FEU FACILEMENT!

NORMAN DÉCAPE CETTE VIEILLE PELLICULE.

IL OBTIENT AINSI UNE SURFACE TRANSPARENTE SUR LAQUELLE IL DESSINE, PAS BESOIN DE CAMÉRA, IL LUI SUFFIT D'UN...

..PINCEAU

HOOO WO!

TRÈS DRÔLE, NORMAN!

EN 1935, IL PRÉSENTE 2 FILMS À UN FESTIVAL AMATEUR. L'UN D'EUX EST PRIMÉ.

WOW!

JOHN GRIERSON, L'UN DES JUGES, REMARQUE LE TALENT PROMETTEUR DU JEUNE ARTISTE.

DITES-DONC, ÇA VOUS PLAIRAIT DE TRAVAILLER À LONDRES?

À LONDRES?

London

J'ARRIVE!

C'EST LÀ QUE NORMAN ENTREPREND DE DESSINER LES SONS. NORMAN SAIT QUE LE SON SUR UN FILM EST UNE LIGNE QUI CHANGE DE FORME; COMME CELLE-CI.

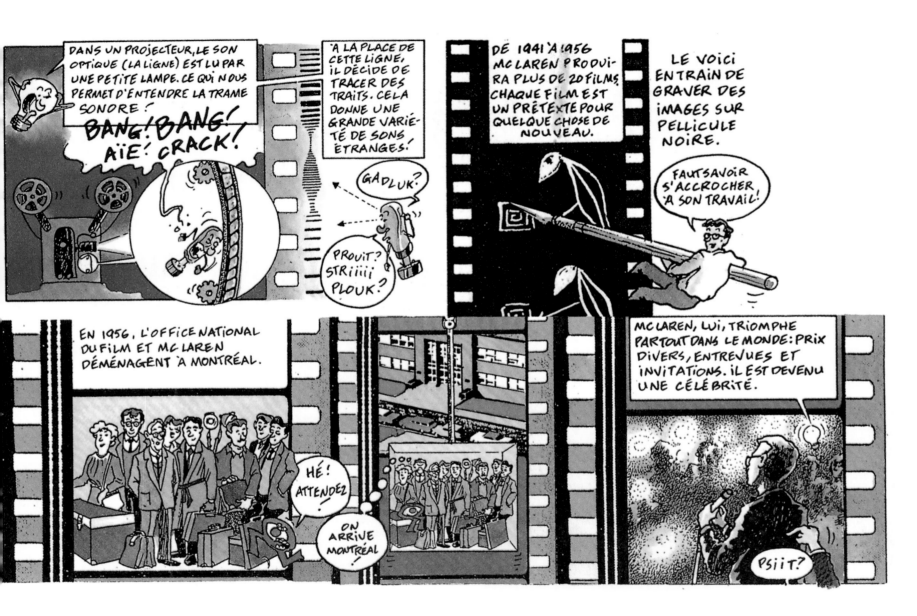

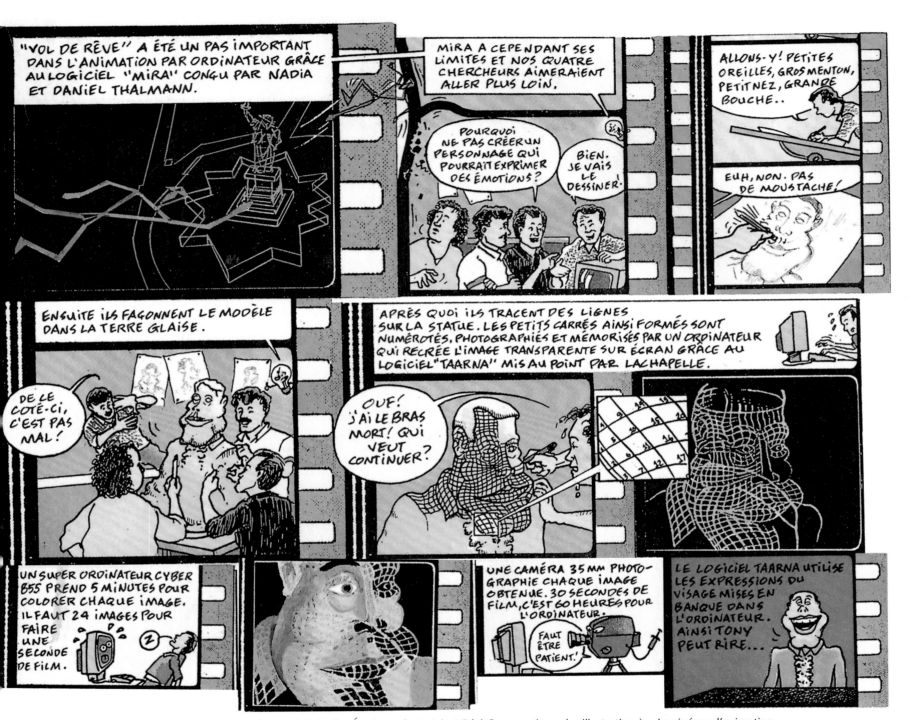

DAVID, Johanne, Marie-Pier ÉLIE (pour le texte) et Réal GODBOUT (pour les illustrations). « Le cinéma d'animation avec Norman Maclaren et les créateurs de Tony de Peltrie », *Les Grands Débrouillards de Graham Bell à Daniel Langlois*, Saint-Lambert, © Les Éditions Héritage inc., © Alain Gosselin (AL + FLAG), 2001, p. 43-46.

Léon Maigrichon

Vladimir vient de Russie. Son fils est membre du club Les Bolides. Et les cyclistes du club Les Bolides s'entraînent — tiens-toi bien! — une vingtaine d'heures par semaine.

Je ne savais pas qu'il fallait souffrir autant pour devenir champion!

Pendant la réunion, Vladimir a annoncé que le championnat des jeunes cyclistes aurait lieu dans six semaines. À la fin, il a lancé, d'une voix de général d'armée:

— Lé entraînement commence demaine matin. À houit heures pile!

J'avais hâte de partir pour ne plus jamais revenir. Vingt heures d'entraînement! C'est complètement cracpote! « C'est pas un club de cyclistes, c'est un club de fous ! » : voilà ce que je me disais en marchant vers la sortie.

C'est là que j'ai rencontré le fils de Vladimir. Je le connais! C'est Léon, un élève de ma classe. Tout le monde l'appelle Léon Maigrichon parce qu'il est aussi mince qu'un poil de brosse à dents. Je ne savais pas qu'il était né en Russie. Léon n'a pas d'accent. Son vrai nom c'est Leonid mais il trouve que ça sonne trop comme un nom de fille.

— Je suis tellement content que tu te joignes à nous, Alexis, a dit Léon. On va s'entraîner ensemble. C'est formidable! Avant, j'étais le seul de mon âge.

Je voulais lui dire que je n'avais pas vraiment le courage de m'entraîner vingt heures par semaine, lorsque j'ai vu ses petites jambes maigres.

Léon a des pattes en cure-dents!

Une vraie farce! À côté de lui, j'ai déjà l'air d'un champion cycliste. Alors, j'ai pensé que si Léon le maigrichon était capable de survivre à vingt heures d'entraînement, ça ne pouvait pas être SI pire.

— À demain, Alexis? m'a demandé Léon.

Devine ce que j'ai répondu…

DEMERS, Dominique. *Léon Maigrichon*, Montréal,
© Québec/Amérique Jeunesse, 2000, p. 22-26.

Fiche de
lecture
10

Vivre, c'est bouger

Essaie de demeurer assis, aussi immobile que possible. Rien ne bouge?
Même quand tu penses être immobile, des parties de ton corps bougent.
Ta poitrine se soulève à intervalles réguliers quand
tu respires et, en l'espace d'une minute, tes paupières clignotent
une douzaine de fois. Tu peux contrôler certains de ces mouvements, mais
d'autres surviennent sans même que tu t'en rendes compte.
Ton corps n'arrête jamais de bouger, pas même quand tu dors.

Le mouvement est produit par tes os et tes muscles qui sont dirigés par
ton cerveau et tes nerfs. Ensemble, ils travaillent comme une machine
perfectionnée.

Ton corps est beaucoup plus impressionnant que n'importe quelle
machine conçue par les humains. Il utilise l'énergie six fois plus
efficacement que ne le fait une voiture. Il peut courir à plus de
40 km/h, sauter bien au-dessus de 2 m de haut et lancer une
balle à plus de 140 km/h.

Quelle machine construite par un humain peut grandir et se
réparer d'elle-même? Le corps en est capable, lui. La moelle
osseuse fabrique les cellules sanguines qui transportent l'énergie
là où tu en as besoin et t'aident à combattre les infections. Faire
de l'exercice te permet de renforcer tes muscles
et de te maintenir en santé.

Le corps peut aussi accomplir des mouvements des
plus délicats comme enfiler une aiguille ou jouer de la
guitare. Même un simple geste comme tourner une
page n'est possible que parce que les os et les muscles
travaillent de concert.

SAUNDERSON, Jane. *Les muscles et les os*, Montréal/Tournai, © Héritage/Gamma, 1992. Adaptation française : Dominique Chauveau (Coll. Ton corps et toi).

Myriam, la fille araignée!

Fiche de lecture
11

— Prête à grimper, annonce Myriam.

— Prêt à assurer, répond le professeur.

Départ : Myriam commence à grimper.

Découvre avec elle l'escalade, un sport où le vertige est interdit !

Myriam Hanahem a 11 ans. Elle est en 6e année, mais elle fait de la compétition avec les élèves du secondaire dans le réseau de compétitions de l'Association régionale sport étudiant des Cantons de l'Est (ARSECE). C'est que Myriam est douée. Elle grimpe des parois difficiles classées 5-5 et 5-6 ! (voir encadré).

Myriam s'entraîne tous les samedis au gymnase du Club d'escalade du Séminaire Salésien, à Sherbrooke. L'été, elle s'entraîne sur des parois rocheuses.

Classification des parois

En Amérique du Nord, les voies (pistes d'escalade) sont classées par difficulté, selon le système décimal Yosemite*.

Le système est divisé en cinq classes : la classe 1 étant un sentier de randonnée (plat) et la classe 5 étant une falaise ou un mur. Cette classe est subdivisée à son tour en catégories allant de 5 (facile) à 5-14 (très ardu). À partir de 5-10, on subdivise encore en a, b, c et d. [...]

* Yosemite est un parc national situé dans les montagnes de la Sierra Nevada californienne. Chaque année, des milliers de grimpeurs y escaladent les parois granitiques.

Le nœud d'encordement est fait avec le plus grand soin. On utilise un nœud en huit doublé. C'est le nœud le plus solide, il ne se desserre pas et il est facile à contrôler.

Équipée pour grimper

L'escalade est un sport périlleux, il suffit d'un faux mouvement et zip… on perd pied. Heureusement, la corde nous retient. La corde, c'est l'élément le plus important. Sans elle, les grimpeurs se casseraient la figure plus d'une fois!

Pour grimper, il faut être deux. Une personne grimpe, l'autre assure. Le grimpeur est relié à la corde grâce à son harnais et à des mousquetons. En bas, l'assureur s'attache aussi à la corde. C'est lui qui maintient la tension dans la corde… très importante en cas de chute! Il doit être attentif à tout moment.

« Lorsque je grimpe, je me concentre sur mes mouvements. Mon objectif est de monter le plus haut possible. » Le rêve de Myriam? Atteindre le sommet du mont Everest!

Le mont Everest

Les mousquetons ressemblent à des maillons de chaîne sauf qu'ils peuvent s'ouvrir. Ces anneaux de métal relient la corde au harnais.

Cette plaque-frein sert à bloquer la corde en cas de chute.

Le cuissard est un harnais de sécurité qui relie les cuisses à la taille par des sangles. C'est le lien entre le grimpeur et la corde.

Les chaussons ont des semelles en caoutchouc très adhérentes.

Souplesse, force et équilibre

Pour être un bon grimpeur, il faut être souple et fort. Pas de gros bras, non! Mais des jambes solides. Lorsque Myriam grimpe, tous ses muscles sont en action, du bout des doigts jusqu'aux orteils, une véritable danseuse aérienne...

« Parfois, j'ai mal au dos à la fin de la journée, aux doigts aussi. Une période d'étirements d'une demi-heure est nécessaire avant de grimper. Sinon, on a mal partout et on risque de se blesser. »

Il faut aussi beaucoup d'équilibre et de concentration. « Souvent, je me tiens sur la paroi avec seulement un pied et une main. Pour atteindre la prise suivante, au-dessus de ma tête, je dois transférer tout mon poids sur un pied. »

La grimpe urbaine : mode ou folie ?

Tu rêves de grimper jusqu'au sommet d'un gratte-ciel comme Spider man ? Certains mordus de l'escalade sont incapables de s'empêcher de grimper partout où ils passent.

Ce nouveau sport, c'est la grimpe urbaine. Ces fous d'escalade grimpent partout le long des murs, des églises, des ponts, des statues. Ils se promènent même d'immeuble en immeuble.

Bien que la grimpe urbaine ait ce petit côté audacieux et attirant, elle est officiellement interdite. Alors les grimpeurs doivent être discrets et rapides, sinon...

« Myriam, la fille araignée ! », *Les Débrouillards*, Montréal, © Les Publications BLD inc., no 216, septembre 2002.

Le sac de poudre contient de la magnésie (du carbonate de magnésium). Le grimpeur y trempe ses mains afin que la poudre absorbe la transpiration. Il évite ainsi de glisser.

Le casque est fortement suggéré pour l'intérieur. Il est obligatoire sur les parois rocheuses.

Jeux Olympiques

« Plus vite, plus haut, plus fort » : telle est la devise des jeux Olympiques, la plus importante manifestation sportive du monde. Organisés tous les quatre ans, ils sont divisés en Jeux d'hiver et en Jeux d'été, et rassemblent les meilleurs athlètes de tous les pays. Une trentaine de sports y sont représentés. Cette manifestation [...] est l'occasion pour les athlètes d'améliorer leurs performances et de battre bien des records.

Les médailles

Lors des premiers Jeux organisés à Olympie, en Grèce, il y a presque 3 000 ans, les vainqueurs recevaient une couronne d'olivier. Aujourd'hui, les vainqueurs reçoivent une médaille d'or, les seconds une médaille d'argent et les troisièmes une médaille de bronze. [...]

Les disciplines olympiques

Aujourd'hui, une trentaine de sports sont représentés aux jeux Olympiques. Ce nombre a souvent varié. Certains sports ont été exclus, comme le polo, le rugby ou le cricket [...], lequel n'est apparu qu'une seule fois, aux Jeux de Paris, en 1900.

De nouvelles disciplines

De nouvelles disciplines sont parfois ajoutées aux jeux Olympiques. La planche à voile fit son apparition en 1984. Le base-ball et le badminton ont été introduits aux Jeux de Barcelone, en 1992.

Les anneaux olympiques

Les anneaux olympiques enlacés symbolisent l'union des cinq continents participant aux jeux Olympiques. Le drapeau de chaque pays participant comporte au moins l'une des cinq couleurs figurant sur les anneaux.

Les jeux Paralympiques

Le sport est pratiqué aussi par des personnes handicapées. Les premiers jeux Olympiques pour handicapés, ou jeux Paralympiques, ont été organisés en 1960 à Rome, en Italie. Dans toute la mesure du possible, ils ont lieu dans la même ville que les jeux Olympiques.

Les jeux d'hiver

Les premiers jeux Olympiques modernes eurent lieu à Athènes, en Grèce, en 1896. Les premiers jeux Olympiques d'hiver se déroulèrent à Chamonix, en France, en 1924. Depuis 1994, ils sont décalés de deux ans par rapport aux jeux Olympiques d'été.

« Jeux Olympiques », *Encyclopédie Les sports*, Londres, © 1994 Dorling Kindersley Ltd., Paris, © Larousse, 1995 pour l'édition en langue française (Coll. Les jeunes découvreurs).

Un kimono pour Tadao

Tadao, caché dans les bois, observe avec envie une leçon de judo. Il aimerait tant pratiquer cette discipline, comme son cousin Takéji…

Des voix… Tadao se redresse, recule instinctivement. Dans la pénombre, il aperçoit une colonne humaine qui grimpe le sentier. Ce sont les judokas. À petites foulées, haletants, ils suivent Noda senseï. Comme des points de lumière, leurs kimonos blancs se détachent des troncs noirs des pins. Tadao reconnaît Takéji à sa stature imposante. Il court juste derrière le maître.

La joue appuyée sur l'écorce rugueuse d'un jeune pignon, Tadao ne peut s'empêcher de repenser à sa demande d'il y a neuf mois… « Tante Ikuko, je voudrais faire du judo. » Les jours ont passé. Puis les semaines et les mois. Personne n'en a jamais reparlé.

Et ce soir, Tadao sent renaître son irrépressible attirance pour le judo. Ces garçons courageux, pour lesquels l'effort ne compte pas, l'impressionnent. Oubliant sa tâche, il se glisse furtivement dans la forêt, vers l'antique salle d'entraînement.

L'humble dojo d'Haniwa se trouve à l'écart du village, sur la colline qui domine la mer. C'est une bâtisse de pierre et de bois ouverte à tous vents été comme hiver, qui se confond avec le paysage. Les judokas s'y exercent quatre fois par semaine.

Le silence est tombé sur la salle. Tadao s'approche à pas feutrés du dojo faiblement éclairé par deux néons. Il s'accroupit derrière un rocher pour observer le cours. [...]

Soudain, Takéji, l'élève le plus gradé, pose ses mains à plat sur le tatami et se penche en avant...

— Reï!

Les autres judokas l'imitent de concert dans un salut rituel que leur rend aussitôt le maître. Noda senseï se lève et tape dans ses mains. Pas un mot. L'entraînement peut commencer. En file indienne, les élèves rampent à plat ventre en se tractant sur les avant-bras. Tadao écarquille les paupières. L'effort des garçons est intense. Il lit la ténacité sur les visages crispés. Les plus jeunes se relèvent les bras tremblants. Mais ils retournent dans la foulée à l'autre bout de la salle pour réaliser d'autres exercices de musculation ou d'assouplissement. Noda senseï tape de nouveau dans ses mains... Les judokas se replacent en rang dans le fond du dojo.

— Ukemi!

Trois par trois dans un ordre parfait, ils se lancent dans le vide pour une série de chutes avant.

Corps souple, dos rond comme les chats, ils roulent en l'air en effleurant la toile. Mais au moment du contact, les bras frappent énergiquement le sol dans une pétarade surprenante. Tadao frissonne. Bouche bée, il avise Takéji qui se relève avec le sourire.

La lune monte lentement au-dessus des arbres. Elle lance des ombres confuses parmi les pins. Les premières chauves-souris virevoltent autour du dojo, à la poursuite d'insectes attirés par la lumière blanche et magique des néons. Il fait presque frais.

Tadao repense soudain à tante Ikuko qui doit peut-être s'inquiéter, et à son tas de bois abandonné près du torrent. Un dernier coup d'œil vers la salle où les judokas se sont empoignés, et il disparaît dans la forêt.

Tadao redescend en courant le sentier qui mène au village d'Haniwa. Ses socques claquent sur les cailloux. Des images de judo lui traversent l'esprit. Sur le seuil de la petite maison du bord de l'eau, tante Ikuko est en train d'allumer des bâtons d'encens. Elle se redresse, fâchée :

— Et alors ! J'attends mon bois depuis des heures !

Tout en ronchonnant, elle défait le maigre fagot du dos de Tadao.

— Tant de temps pour ramasser quatre brindilles !

CLÉMENT, Yves-Marie. *Un kimono pour Tadao*, Paris, © Rageot, 1992 (Coll. Cascade).

La vraie petite histoire du vélo

Fiche de lecture 14

1818 — La draisienne

La draisienne est l'ancêtre du vélo. Son nom vient de son inventeur : le baron allemand Karl Drais von Sauer. Pour avancer, il faut s'asseoir dessus à califourchon et pousser avec ses pieds sur le sol. Vraiment pas très pratique ! Pour prouver que son invention n'est pas ridicule, le baron a parcouru 78 kilomètres en une seule journée ! Mais son engin n'a pas eu beaucoup de succès.

1861 — Le vélocipède

Le Français Pierre Michaux invente le vélocipède en réparant une vieille draisienne. Il a l'idée de fixer deux manivelles au centre de la roue avant. Le premier pédalier est né. Le bois de la structure et le bronze des pédales sont très rapidement remplacés par de la fonte, moins chère. Ainsi, plus d'engins peuvent être fabriqués. Ils sont alors entièrement constitués de métal, sauf les roues (encore en bois) et pèsent jusqu'à… 40 kilos.

1870 — Le grand bi

Cet engin est un grand bi, créé par l'Anglais James Starley. À cette époque, le vélocipède a déjà été très amélioré. Sa structure est allégée grâce à l'utilisation de tubes creux et ses roues, en métal et non plus en bois, sont plus fines. Il possède également des roulements à billes et une roue libre qui permet de ne pas pédaler tout le temps. Starley, lui, a l'idée de cette grande roue pour… aller plus vite. Son grand bi permet de filer jusqu'à 30 kilomètres à l'heure ! Mais il est réservé aux adultes. Car pour s'arrêter, il faut… sauter !

1879 — La première bicyclette

Plus besoin de grande roue pour rouler rapidement! En 1879, Harry Lawson, un autre Anglais, place le pédalier sous la selle, entre les deux roues. Une chaîne le relie à la roue arrière. Résultat: avec le même effort, la roue tourne plus vite! Le succès de cette bicyclette est tel que le grand bi se fait vite oublier.

1890 — La bicyclette moderne

Pour amortir les chocs des roues en métal, il ne manquait plus que les pneus. L'Irlandais John Boyd Dunlop les invente en 1890. Presque en même temps, la structure principale du vélo, le cadre, devient triangulaire. La bicyclette est alors plus stable et mieux équilibrée. La fourche qui maintient la roue avant peut désormais pivoter. L'engin se dirige ainsi plus facilement. Enfin, en 1908, apparaît le chemineau: la première bicyclette capable de changer de vitesse en roulant. Le vélo moderne est né!

Aujourd'hui

Le vélo *high-tech*

La bicyclette a beaucoup changé ces dernières années. Ce VTT de compétition possède des suspensions pour amortir les chocs et des pneus crantés pour rouler sur des terrains accidentés. Il comporte plus de 20 vitesses, de quoi gravir n'importe quelle côte! Et la « petite reine » n'a sans doute pas fini d'évoluer!

© VAUGEOIS, Sylvain. « La vraie petite histoire du vélo », *Science & Vie Découvertes*, Paris, septembre 2001.

Pourquoi transpires-tu ?

À force de t'agiter dans tous les sens, tu es en nage. Mais d'où vient cette eau qui dégouline sur ton corps et à quoi sert-elle ?

Cette nouvelle enquête va entraîner Alberto et Zeppo au cœur de la peau. Dépêche-toi de les rejoindre !

Quelle belle journée ! Alberto, Alberta et Zeppo en profitent pour jouer dans le jardin aux gendarmes et aux voleurs. Zeppo est le plus difficile à attraper. Il détale comme un lapin dès que ses amis tentent de lui mettre la main dessus. À force de courir comme des fous, il sont tout essoufflés et en nage. Des gouttes de sueur roulent sur le nez d'Alberto et le front d'Alberta est aussi mouillé que si elle sortait de la piscine. Intrigué de voir sa sœur transformée en fontaine, Alberto ne résiste pas à l'envie d'aller regarder ce qui se passe sous la peau d'Alberta. Il avale une gorgée de potion à rapetisser, en donne une rasade à Zeppo... et hop ! les voilà devenus minuscules. Sans perdre une minute, ils entrent dans l'une des jambes d'Alberta.

Bonjour l'odeur !

La sueur est produite par deux à trois millions de glandes sudoripares (dites « écrines ») logées dans la peau sur toute la surface de ton corps. Mais il existe d'autres glandes qui sont leurs cousines : les glandes dites « apocrines ». Elles se trouvent surtout sous les aisselles et autour des organes génitaux. Dès la puberté, elles fabriquent une autre sorte de sueur, plus

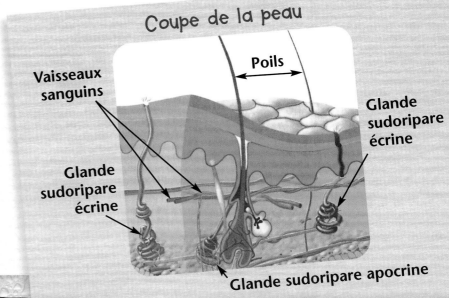

Coupe de la peau

Poils

Vaisseaux sanguins

Glande sudoripare écrine

Glande sudoripare écrine

Glande sudoripare apocrine

huileuse et épaisse. Cette sécrétion joue un petit rôle dans l'attraction sexuelle, c'est-à-dire l'attirance entre les hommes et les femmes. Or, cette sueur contient des substances dont certaines bactéries se nourrissent volontiers. Du coup, à ces endroits, les microbes prolifèrent. Ils dégradent les éléments présents dans la transpiration et les transforment en d'autres composés qui peuvent sentir assez fort. Mais la sueur « normale » peut également devenir nauséabonde, surtout lorsqu'elle macère. À l'intérieur de baskets trop étanches, par exemple.

Ça chauffe !

À peine Alberto et Zeppo se retrouvent-ils dans la jambe d'Alberta qu'ils suffoquent de chaleur. Quelle fournaise ! Zeppo, qui change de couleur avec la température, est d'ailleurs devenu tout rouge. Le thermomètre d'Alberto indique plus de 38 degrés, soit un degré de plus que la normale ! Au-delà, les organes ont du mal à fonctionner. Pourtant, Alberta n'est pas malade. Alors, pourquoi son corps est-il plus chaud que d'habitude ? Elle vient de courir. Peut-être cela a-t-il un rapport ? Pour le vérifier, Alberto et Zeppo excitent le muscle, à l'arrière du mollet d'Alberta. Résultat : sa jambe n'arrête pas de se plier et de se déplier. Et de la chaleur se propage tout autour du muscle. Ce n'est pas étonnant, car les cellules qui le constituent produisent de l'énergie qui permet au muscle de se contracter. Et il y a toujours une partie de l'énergie qui se transforme en chaleur. Comme pour un moteur de voiture : il chauffe lorsqu'il tourne pour entraîner les roues. En courant, Alberta a fait

38°C

37°C

Lors d'un effort, une partie de l'énergie des muscles se transforme en chaleur. Et la température du corps augmente.

travailler un grand nombre de muscles et ils ont tous dégagé de la chaleur. Du coup, sa température a augmenté. Son corps doit trouver un moyen de la faire chuter pour retourner à 37 degrés.

Ouvrez les robinets

Dans le corps d'Alberta, des récepteurs transmettent un message au cerveau : « Il fait trop chaud. » Aussitôt, celui-ci réagit. Il envoie des ordres pour rétablir la situation. Ces messages sont transmis par des nerfs jusqu'à la peau. L'un d'eux s'adresse aux vaisseaux sanguins qui se trouvent dans les parages. Il leur ordonne de s'élargir. Une autre information arrive aux organes qui fabriquent la sueur : les glandes sudoripares. Elle leur demande d'accroître leur production. Ces tubes enroulés en peloton obéissent sur le champ. Alberto et Zeppo les aident. Ils puisent de l'eau contenue dans le sang d'un vaisseau qui s'enroule autour de la glande puis la font pénétrer à l'intérieur. L'effet est immédiat : de la sueur sort à l'autre bout du tube. Ce liquide, composé de 99 % d'eau et de 1 % de sels minéraux, est déversé à la surface de la peau. Alberto et Zeppo ont suivi son itinéraire. Et surprise : le bain dans lequel ils ont plongé est chaud. En effet, une partie de la chaleur du sang est passée avec l'eau dans la sueur. Elle est ainsi expulsée avec elle à l'extérieur du corps.

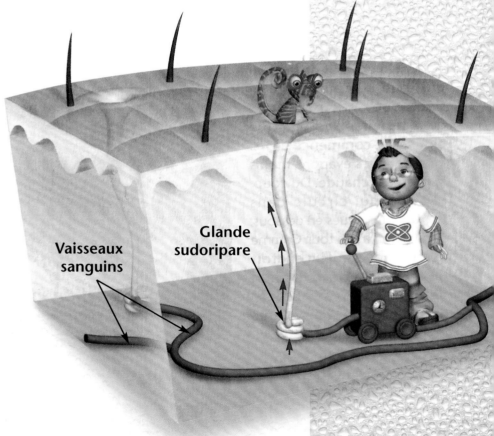

Vaisseaux sanguins

Glande sudoripare

Le corps se rafraîchit

Mais une fois sur la peau, que devient toute cette sueur ? Elle s'évapore. Ce phénomène a une drôle de conséquence. Zeppo, qui s'est accroupi dans une flaque, change à nouveau de couleur. Cette fois, il devient… tout bleu. Alberto n'hésite pas une seconde, il sait très bien ce que ce genre de transformation signifie : la température diminue à cet endroit. Pour que l'eau de la sueur se transforme en vapeur, il faut de l'énergie. Et c'est la chaleur de la peau qui joue ce rôle. Celle-ci s'échappe donc peu à peu dans les airs. Une réaction en chaîne commence alors. Plus la sueur s'évapore, moins la peau est chaude. Du coup, le sang, qui circule dans les vaisseaux situés en dessous, se rafraîchit à son tour. Comme celui-ci voyage d'un endroit du corps à l'autre, il refroidit l'ensemble des muscles et des organes. Un système de climatisation efficace !

Un peu, beaucoup... à la folie !

Au repos, un être humain ne perd que 0,0042 litre de sueur par heure. Mais lors d'un effort physique important, les vannes s'ouvrent : 2 à 3 litres sont évacués par heure ! Et en situation extrême (à midi au cœur du Sahara, par exemple), c'est un fleuve de 10 à 11 litres qui peut sortir toutes les heures de la peau. Lorsque l'on sue énormément, il faut bien sûr boire beaucoup pour compenser la perte d'eau. Mais il faut aussi manger un peu de sel. Car la sueur élimine des sels minéraux comme le fait… ton urine. Et quand tu transpires beaucoup, tu en perds trop.

© Rey, Olivier (pour le texte), © Dominique Galland et © Mathieu Roussel (pour les illustrations). « Pourquoi transpires-tu ? », *Science & vie Découvertes*, Paris, no 43, juin 2002.

Qu'est-ce qu'un muscle?

Tes os forment la charpente de ton corps, mais ils ne peuvent pas bouger d'eux-mêmes. Chaque os est actionné par des muscles qui lui permettent de bouger. Ton squelette est enveloppé et soutenu par un tissu de muscles. Environ 620 muscles permettent les mouvements de ton corps, et bien d'autres contrôlent automatiquement les mouvements de tes organes internes, comme ton cœur et ton estomac. Les muscles existent en des tailles et des formes différentes. Chez la femme, ils constituent plus du tiers de sa masse corporelle et chez l'homme presque la moitié.

Tu as trois sortes de muscles conçus pour différentes tâches :

1 Les *muscles volontaires* sont des muscles forts. Ils sont ainsi appelés parce que tu peux leur dire quoi faire. On les appelle aussi *muscles squelettiques* parce qu'ils font bouger ton squelette, ou *muscles striés*, parce qu'ils donnent l'impression d'être rayés quand on les regarde au microscope.

2 Les *muscles involontaires*, ou *muscles lisses*, se trouvent dans tes organes internes. Tu n'as aucun contrôle direct sur eux parce qu'ils travaillent automatiquement. Par exemple, ils broient les aliments dans ton estomac quand tu digères ton repas, et ils permettent à tes vaisseaux sanguins de s'élargir ou de se rétrécir.

3 Le puissant *muscle cardiaque* qui constitue ton cœur ressemble à un mélange de muscles volontaires et involontaires. Il ne se fatigue jamais et fait battre ton cœur sans arrêt. Si tu vis jusqu'à cent ans, ton cœur aura effectué plus de 3 milliards de battements et pompé presque 300 millions de litres de sang !

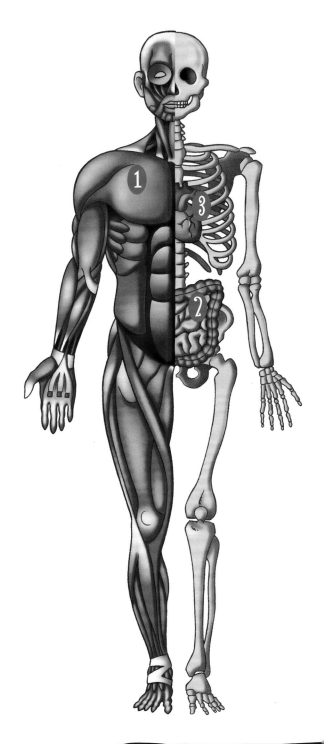

Un muscle volontaire est constitué de plusieurs faisceaux épais de *fibres musculaires* allongées. Chaque fibre est constituée de plusieurs fibres plus petites appelées *myofibrilles*. Celles-ci sont constituées de minuscules fils qui sont imbriqués, comme des doigts entrelacés. C'est ce qui donne l'impression que le muscle est strié. Quand les fils s'éloignent, le muscle s'allonge et quand ils se regroupent, le muscle raccourcit. De minuscules nerfs à l'intérieur du muscle contrôlent quand et de combien le muscle s'allonge ou raccourcit.

Beaucoup de minuscules vaisseaux sanguins s'assurent que les muscles obtiennent tout l'oxygène et les éléments nutritifs dont ils ont besoin pour fonctionner. Pour que tes muscles soient en bonne santé, tu dois consommer beaucoup de protéines. Tous tes muscles ont une chose en commun : afin de rester en bonne santé, ils doivent être utilisés.

SAUNDERSON, Jane. *Les muscles et les os*, Montréal/Tournai, © Héritage/Gamma, 1992. Adaptation française : Dominique Chauveau (Coll. Ton corps et toi).

Fiche de
lecture
17

La lune
et sa mère

La lune pria un jour sa mère de lui confectionner

un manteau car les nuits étaient très froides.

La mère prit ses mesures et la lune partit se promener.

Lorsqu'elle revint, elle avait tant grossi que

le manteau était bien trop étroit.

La mère défit alors tous les ourlets pour l'élargir

mais, comme cela prenait du temps, la lune perdit

patience et sortit à nouveau.

La mère passa de longues nuits à coudre à la lueur des étoiles.

À son retour, la lune avait tant maigri qu'elle n'était

plus qu'un croissant mince et pâle.

Le manteau était à présent beaucoup trop large

et ses manches pendaient jusqu'aux genoux.

La mère crut que la lune se moquait d'elle et

elle entra dans une telle colère qu'elle pria sa fille

de ne plus jamais remettre les pieds chez elle.

Voilà pourquoi la lune est seule et nue dans le ciel.

Texte original allemand des frères Grimm, extrait de Das Unicef-Bilderbuch,
© 1996, Ravensburger Buchverlag, Ravensburg (Allemagne).

Les fêtes du monde entier

Une grande famille

Dans les grandes villes, partout dans le monde, se côtoient des gens de culture et de religion différentes. Certains ont leurs propres coutumes, mais la plupart participent aux fêtes traditionnelles, même les non-croyants.

Partager les réjouissances

Pour vivre en bonne harmonie, il faut respecter les coutumes des uns et des autres. Il existe de nombreuses différences entre les traditions culturelles et religieuses, mais aussi beaucoup de ressemblances. Dans le monde entier, l'échange de cadeaux et de cartes est un symbole d'unité. Le partage de la nourriture, dans les repas de fête, symbolise la communion, l'égalité. Certains mets ont une signification particulière : dans de nombreuses cultures, le riz est un symbole de fertilité.

Décorations

Partout dans le monde, objets symboliques et amulettes sont utilisés lors des fêtes. En Grande-Bretagne, les mariées arboraient jadis des fers à cheval en argent en guise de porte-bonheur. La fleur d'oranger, elle, était un symbole de fertilité. Certains bijoux sont traditionnellement considérés comme bénéfiques. En Chine, les perles sculptées dans des noyaux de pêche sont censées protéger du mal. Les bébés chinois portent un fil rouge garni de clochettes ou de pièces pour chasser les mauvais esprits.

Les perles ont une signification symbolique pour les Masais du Kenya et les Ndebele d'Afrique du Sud.

Vêtements

Certaines fêtes requièrent des tenues spéciales. Dans les mariages hindous, sikhs ou musulmans, la robe de la mariée est rouge et or. Le rouge porte bonheur, surtout en Chine. Les mariées juives et chrétiennes sont en blanc, symbole de pureté. En Afrique du Sud, les mariées ndebele couvrent leur robe de perles blanches. Mais en Inde et au Japon, le blanc est la couleur du deuil. [...]

Points communs

Dans presque toutes les religions, il existe une fête de la lumière, car le feu et la lumière sont des symboles d'espoir. Aujourd'hui, en Europe, la plupart des gens envoient des cartes de Noël à leurs amis, même s'ils ne sont pas chrétiens. Et quand les hindous célèbrent Divali, ils invitent tous leurs voisins. Partout, les fêtes permettent un rapprochement entre les diverses communautés. Les vieilles traditions se meurent, mais de nouvelles les remplacent.

De nombreux objets sont associés aux fêtes. Ainsi, divers symboles et représentations de dieux sont utilisés lors des célébrations religieuses. Et des bougies, des cartes de vœux et toutes sortes d'instruments de musique apparaissent fréquemment lors de festivités.

ROBSON, Pam. *Les fêtes du monde entier*, Paris, © Hachette Livre/Deux Coqs d'Or, 2001.

Sinabouda Lily

Fiche de lecture 19

Une petite fille habitait avec son papa, sa maman et ses deux frères dans une île pleine de filaos, de bananiers et de cocotiers. Elle aimait beaucoup se balancer sur une liane qui pendait d'un cocotier, tout à côté de sa maison, au bord de la mer. On l'appelait Sinabouda Lily, c'est-à-dire : la petite fille qui se balance.

Tous les matins, Sinabouda Lily courait vers son cocotier, elle grimpait sur sa liane-balançoire, et elle se balançait si haut, si fort qu'elle aurait presque pu sauter sur l'île d'à côté.

Sa maman disait toujours :

— Fais attention, Sinabouda Lily, sur l'île d'à côté, il y a une sorcière, la méchante Tanotano ! Tu sais bien qu'elle mange les enfants.

Sinabouda Lily disait :

— Oui, oui, je sais, elle m'a dit qu'elle me mangerait.

Mais, moi, je n'ai pas peur, papa et mes frères me protègent.

Quelques jours plus tard, toute la famille doit partir à la pêche, mais Sinabouda Lily veut rester pour se balancer toute la journée : sa maman n'a pas envie de céder, mais son papa dit :

— Écoute-moi bien, Sinabouda Lily. Voilà des bananes magiques.

Si quelque chose ne va pas, tu leur parleras, je t'entendrai, et je te répondrai.

Le papa de Sinabouda Lily est un peu sorcier, lui aussi.

Il suspend les bananes sur le cocotier, et toute la famille s'en va en canoë.

Sinabouda Lily reste toute seule à se balancer de toutes ses forces.

Elle mange quelques bananes, et elle jette les peaux dans la mer.

Sinabouda Lily est très rassurée avec ses bananes magiques.

Mais son papa a oublié de lui dire de ne jamais jeter les peaux, sinon il n'y a plus de pouvoir magique !

Là-bas, sur l'autre île, la sorcière Tanotano observe tout. Elle voit le canoë partir sans Sinabouda Lily. Elle voit les peaux de bananes magiques flotter sur l'eau, et elle se met à les ramasser.

Sinabouda Lily la regarde en pensant que Tanotano doit avoir bien faim pour manger des peaux de bananes !

Elle se balance de plus en plus haut. Tout à coup, Tanotano saute en l'air pour attraper la balançoire. Sinabouda Lily pousse un cri.

Aussitôt, la voix de son papa sort des bananes :

— Je ne suis pas loin, n'aie pas peur !

En entendant ça, la sorcière s'enfuit.

À la fin de la journée, Sinabouda Lily mange la dernière banane, elle jette la dernière peau dans la mer, et elle se balance très très haut, jusqu'au-dessus de l'île d'à côté, pour voir si le canoë revient. Mais la sorcière s'était cachée pour guetter Sinabouda Lily et, hop ! elle réussit à l'attraper en criant :

— Ha ! ha ! ha ! Je te tiens à la fin ! Vite, vite, tu vas cuire dans ma marmite !

Sinabouda Lily hurle :

— Papa ! Maman ! Mes frères !
Au secours !

Mais, cette fois-ci, personne ne lui répond puisqu'il n'y a plus de bananes.

Tanotano attache Sinabouda Lily, elle l'emporte sur son dos, et elle la met dans sa marmite.

Mais pendant ce temps-là, en pêchant, la famille de Sinabouda Lily voit flotter sur la mer une, deux… dix peaux de bananes.

Quelque chose est sûrement arrivé! Vite!

Ils se mettent tous à pagayer pour revenir sur leur île.

En arrivant, ils voient Tanotano qui ramasse du petit bois pour son feu.

Elle est déjà courbée sous son fagot.

Le papa de Sinabouda Lily se précipite, il renverse Tanotano sur le sable et, toc! elle se transforme en rocher!

Vite, la maman retire Sinabouda Lily de la marmite, elle la détache, elle l'embrasse.

Sinabouda Lily revient avec sa famille vers sa maison et sa balançoire, et en attendant que le poisson soit cuit, elle se balance tout doucement pour se remettre de ses émotions.

ANDERSON, Robin. « Sinabouda Lily », *Contes d'ailleurs et d'autrefois*, North Ryde, © Macquarie Library. Paris, © Bayard Éditions Jeunesse.
Traduction : Bernadette Garreta-Tenger, 2002.

Noël surprise

Dans son château de la Forêt profonde,
le vieux monsieur dîne tout seul devant la télé.

Le présentateur annonce :

Dans quelques instants, le père Noël va commencer sa distribution… Joyeux Noël à tous !

Le vieux monsieur éteint la télé et marmonne :

— Noël, Noël… Et après ! Qu'est-ce que ça change ? Rien ! Qu'on me laisse tranquille, c'est tout ce que je demande !

Le vieux monsieur ignore que, tout près de là, les lutins du père Noël attellent le traîneau. La hotte est déjà pleine à ras bord. Le lutin Vif pousse un soupir désolé :

— Père Noël, tu as encore pris ta vieille hotte qui te sert depuis mille ans ! Tu ne veux pas qu'on en prenne une neuve ?

— On n'a pas le temps, grommelle le père Noël. Allez, les rennes ! On part !

Et le traîneau s'envole. Mais soudain, c'est la catastrophe ! La hotte se déchire de haut en bas. Mille cadeaux dégringolent dans le ciel au-dessus de la Forêt profonde. Dans son château, le vieux monsieur sursaute. Il sort, une lanterne à la main.

Et badaboum ! Une poupée lui tombe sur la tête. Puis une avalanche de robes de princesses, de chapeaux de cow-boys et de petites voitures.

— Qu'est-ce que c'est que ce bazar ? bougonne le vieux monsieur.

Le traîneau atterrit devant lui à toute vitesse.

Le père Noël en sort et demande :

— Monsieur, puis-je me servir de votre téléphone ? Ma hotte est en morceaux.
Je dois interrompre ma distribution, vous comprenez ?

Le vieux monsieur ne sait pas quoi répondre. Lui qui voulait avoir la paix,
c'est fichu ! […]

Sans attendre la réponse, le père Noël entre dans le château et s'empare
du téléphone. Quelques instants plus tard, le présentateur du journal annonce :

— À la suite d'un accident, le père Noël ne peut momentanément pas assurer sa
distribution. Les enfants qui habitent près de la Forêt profonde sont priés
d'aller retirer leurs jouets dans le château du vieux monsieur. […]

Le vieux monsieur est consterné. Des centaines d'enfants vont débarquer
chez lui ! Pendant ce temps, le père Noël visite
le château.

— Quelle poussière ! soupire-t-il. On ne peut pas réveillonner
dans un endroit si sale et si triste. Au travail, les lutins !

Aussitôt, Vif commence à balayer le plancher.
Zic met un disque et Zouc allume un feu dans
la cheminée.

— Hé ! s'écrie le vieux monsieur. Mais c'est
chez moi, ici ! Vous ne pouvez pas… […]

Fric et Froc s'affairent dans la cuisine.
Une délicieuse odeur de chocolat chaud
se répand dans le château. Le vieux monsieur
ferme les yeux :

— Ça me rappelle mes Noël quand j'étais petit !
Hum, le chocolat était bon…

À ce moment, le père Noël descend l'escalier :

— J'ai trouvé une hotte solide dans votre grenier. Je vais pouvoir repartir faire ma tournée. Et puis, regardez ce que j'ai dégoté !

Il brandit une robe de chambre rouge et une fausse barbe.

— Le déguisement de mon grand-père ! s'exclame le vieux monsieur, très ému.

— Enfilez-le ! lance le père Noël. J'entends les enfants qui arrivent.
Vous allez me remplacer. Moi, j'ai du travail !

Tard dans la nuit, le père Noël rentre chez lui. Au-dessus de la Forêt profonde, il ralentit. Toutes les fenêtres du château sont illuminées. Il entend les enfants chanter avec le vieux monsieur.

Le père Noël sourit en pensant :

« Finalement, quel bonheur cet accident ! Je me demande sur quelle maison je vais déchirer ma hotte l'année prochaine… »

DE LASA, Catherine (pour le texte) et Clément OUBRERIE (pour les illustrations).
« Noël surprise », © Astrapi, Bayard Presse Jeunesse, no 564, 15 décembre 2002.

Il était une fois...
Noël

*Voilà, le jour de Noël est arrivé. Tout le monde est excité.
Le sapin est décoré. Les cadeaux sous l'arbre font rêver.
La table est mise avec la traditionnelle bûche de Noël.
La bonne humeur et la joie sont dans l'air. Pourquoi
toutes ces coutumes ? D'où viennent-elles ?*

Le premier père Noël

Le premier père Noël n'était pas un vieil homme en habit
rouge et à la barbe blanche. Selon la légende, en l'an 270 naît
un petit garçon du nom de Nicolas. Il habite la ville de Patara, située
dans le pays que l'on appelle aujourd'hui la Turquie. On dit qu'à l'âge de
20 ans, il est l'auteur de plusieurs miracles. Avec son grand cœur, il lui arrive
aussi de distribuer des aliments, des vêtements ou de l'argent aux personnes
défavorisées.

Le père Noël d'aujourd'hui

Au fil des siècles, l'image de saint Nicolas a beaucoup changé. Il est vrai que le père
Noël d'aujourd'hui est toujours aussi généreux, mais ses autres traits ont été inventés
petit à petit par des auteurs américains. En 1809, l'écrivain Washington Irving décrit
pour la première fois le père Noël tel qu'on le connaît aujourd'hui. C'est lui qui a
écrit que saint Nicolas volait au-dessus des toits et laissait tomber des cadeaux dans
les cheminées des maisons de ses enfants préférés. Aujourd'hui, tout le monde sait
que le père Noël voyage sur un traîneau tiré par des rennes. Mais à cette époque,
on l'ignorait. Ce moyen de transport est imaginé plus tard par un auteur anonyme,
mais il n'y a alors qu'un seul renne pour tirer le lourd traîneau du père Noël.
Heureusement, le professeur Clément Clark Moore imagine sept autres rennes

en écrivant un conte de Noël pour un de ses enfants. Les rennes sont alors au nombre de huit, et il leur donne les noms suivants : Blixen, Comet, Cupid, Dancer, Dasher, Dunder, Prancer et Vixen. Mais où est donc Rudolph, le célèbre renne au nez rouge ? Il est inventé par un poète en 1939, afin d'éclairer la route avec son nez lumineux. Avec tout le chemin qu'il a à parcourir, le père Noël ne doit pas être en retard.

Au fil des ans, le père Noël s'est vêtu d'un habit rouge bordé de fourrure blanche. Il était parfois mince, parfois gros, parfois petit, parfois grand. L'image du père Noël comme on le connaît aujourd'hui est née d'une publicité de boisson gazeuse, en 1930. Le père Noël a ensuite élu domicile au pôle Nord, où les enfants d'aujourd'hui lui écrivent encore. On lui a inventé une manufacture de jouets avec des lutins pour l'aider à produire ses nombreux cadeaux. La légende veut aussi que le père Noël note le nom des enfants qui ont été désobéissants, car seuls les enfants sages obtiennent des cadeaux à Noël.

Une véritable bûche de Noël

Plusieurs autres traditions sont associées à la fête de Noël. Autrefois, il aurait fallu avoir de bonnes dents pour pouvoir croquer dans une bûche de Noël, car c'était un véritable morceau de bois. La veille de Noël, une énorme bûche était placée dans le foyer. Elle était tellement grosse qu'il fallait parfois plus d'un homme pour la transporter. À certaines époques, on disait de cette bûche qu'elle avait des pouvoirs magiques, comme celui d'éloigner les mauvais esprits. Aujourd'hui, on mord sans difficulté dans la bûche de Noël puisqu'elle se retrouve en pâtisserie sur nos tables.

Le sapin de Noël

Au Canada, le premier arbre de Noël a été décoré il y a plus de deux cents ans, ici, au Québec, dans la ville de Sorel. La coutume de décorer un arbre pour Noël est apparue en Allemagne au 17e siècle. Les gens apportaient un petit sapin chez eux et y accrochaient… des pommes. Plus tard, certains d'entre eux ont immigré en Amérique, apportant avec eux cette belle tradition, qui a vite fait de se répandre. Les boules de Noël qui décorent aujourd'hui nos arbres ont remplacé les pommes d'antan. Petit à petit, des décorations de tous les genres sont apparues.

La magie de Noël

Au fil des siècles, les traditions de Noël ont bien changé. Tu sais maintenant d'où viennent ces coutumes qui font notre belle fête de Noël. De nos jours, les gens courent les magasins afin d'acheter des cadeaux. Même si la fête est devenue plus commerciale, l'esprit du temps des fêtes est toujours là. À Noël, la générosité est à l'honneur. C'est ce qu'on appelle la magie de Noël…

Catherine Aubin

Et le cheval nous a été donné

C'était, il y a longtemps, un petit orphelin nommé Nuage de Pierre. Son peuple, les Pieds-Noirs, ne mangeait pas à sa faim. Souvent, les chasseurs revenaient bredouilles.

« Si seulement je pouvais aider mon peuple », se disait Nuage de Pierre.

Il est donc parti en reconnaissance loin du village. Il a escaladé des montagnes et traversé des cours d'eau, mais sans rien trouver. Arrivé au bord du lac, il a vu, de l'autre côté, un grand troupeau de bisons en train de paître. Ces animaux pourraient fournir nourriture, vêtements et tentes à son peuple. Malheureusement, Nuage de Pierre se trouvait du mauvais côté du lac. Il s'est assis au bord de l'eau et a pleuré.

Esprit d'Eau, qui vivait dans le lac, a entendu les sanglots de l'enfant. Il a dit à son fils : « Va voir ce qui fait tant de peine à ce garçon. » Fils d'Esprit a fait surface et a écouté l'histoire de Nuage de Pierre.

« Je crois que mon père pourra t'aider, a dit Fils d'Esprit. Je vais te conduire à lui. Retiens ton souffle et accroche-toi. »

Puis, il a ajouté un avertissement : « Mon père t'offrira un présent. Tu pourras choisir toute chose qui vient de l'eau. Mais, prends garde : accepte seulement le vieux colvert et ses petits. »

Nuage de Pierre s'est agrippé aux épaules de Fils d'Esprit, et ils sont descendus au fond du lac. Pendant la longue descente, Nuage de Pierre se demandait à quoi un canard pouvait bien lui servir, alors qu'il y avait dans l'eau des animaux et des poissons beaucoup plus gros.

« Pourquoi pleurais-tu ? » lui a demandé Esprit d'Eau.

« Mon peuple a faim et je veux l'aider, a répondu Nuage de Pierre. J'ai quitté mon village pour chercher de la nourriture et je n'ai rien trouvé. »

« Peut-être puis-je t'aider, lui a dit Esprit d'Eau. Tu peux prendre ce que tu veux dans ce lac. Que choisis-tu ? »

Esprit d'Eau a redemandé plusieurs fois au garçon s'il était bien sûr de vouloir les canards. Chaque fois, il répondait « oui ».

« Très bien, a dit Esprit d'Eau. Tu peux prendre les canards. Mais, je te préviens : quand tu quitteras le lac, tu ne devras pas regarder en arrière pour les voir, même si tu en meurs d'envie. Tu attendras demain, au lever du soleil. »

Fils d'Esprit a attrapé le colvert et a posé un collier d'herbes tressées autour de son cou. Il a amené le vieux canard et ses petits à la surface de l'eau et a remis la laisse à Nuage de Pierre. « Rappelle-toi les paroles de mon père », l'a-t-il averti.

En reprenant la longue route vers le village, Nuage de Pierre a entendu des battements d'ailes derrière lui. Durant la nuit, le son des battements s'est transformé en un bruit de pas lourds, et Nuage de Pierre sentait que, dans sa main, la laisse d'herbes se changeait en cuir. Il voulait regarder mais, se souvenant de l'avertissement, il a continué à marcher.

Le soleil s'est enfin levé et Nuage de Pierre a pu se retourner. Alors, il a vu un gros animal qu'il ne connaissait pas et, derrière, d'autres plus petits. La peur s'est emparée de lui, puis, une voix lui a dit : « Grâce à cet animal, ton peuple n'aura plus jamais faim. Monte sur son dos et retourne dans ton village. »

Nuage de Pierre a obéi et, tout fier, il est rentré au village sur le dos de son cheval, suivi des poulains. En l'apercevant, les villageois ont été effrayés à leur tour. « N'ayez pas peur, leur a dit Nuage de Pierre. Ces animaux chasseront avec nous et transporteront les charges lourdes. »

Les Pieds-Noirs ont vite compris l'utilité du nouvel animal. Pour transporter les charges, il était bien meilleur que les chiens auxquels on était habitué. À dos de « chien-orignal », on pouvait aller chasser le bison là où il était. Et puis, les chevaux permettaient aux gens de traverser les cours d'eau. « Ils viennent de l'eau, disait Nuage de Pierre. Voilà pourquoi ils y sont à l'aise. »

Plus vieux, Nuage de Pierre est devenu chef de son peuple. Son lieu de repos préféré se trouvait au pied d'un arbre du bord de l'eau, parce que, de cet endroit, il pouvait regarder les chevaux paître au loin.

TAYLOR, C.J. *Et le cheval nous a été donné*, Montréal, © C.J. Taylor, 1993, © Michèle Boileau, pour la traduction française, publiée aux Livres Toundra, 1996.

Les aventures de Pinocchio

Geppetto, revenu chez lui, commence tout de suite à fabriquer son pantin et lui donne le nom de Pinocchio. Premières friponneries du pantin.

Geppetto habitait une petite pièce au rez-de-chaussée, où la lumière n'entrait que par une soupente. Le mobilier était on ne peut plus simple : une méchante chaise, un lit assez mauvais et une petite table tout abîmée. Au fond de la pièce, on voyait un feu allumé dans une cheminée ; mais le feu était peint, et, à côté du feu, était dessinée une marmite qui bouillait joyeusement et dont sortait un nuage de fumée, qui semblait de la vraie fumée.

À peine rentré chez lui, Geppetto prit vivement ses outils et se mit à tailler et à fabriquer son pantin.

— Quel nom vais-je lui donner ? se demanda-t-il en lui-même. Je vais l'appeler Pinocchio. Ce nom lui portera chance. J'ai connu toute une famille de Pinocchi : le père s'appelait Pinocchio, la mère Pinocchia, les enfants Pinocchi, et tous menaient la bonne vie. Le plus riche d'entre eux était mendiant.

Quand il eut trouvé le nom de son pantin, il commença à vraiment bien travailler, et lui fit tout de suite les cheveux, puis le front, puis les yeux.

Les yeux terminés, imaginez sa stupeur quand il s'aperçut que ces yeux remuaient et le regardaient fixement.

Geppetto, en se voyant regardé par ces deux yeux de bois, fut sur le point de se trouver mal, et dit d'un ton irrité :

— Vilains yeux de bois, pourquoi me regardez-vous ?

Personne ne répondit.

Alors, après les yeux, il fit le nez ; mais, à peine fait, le nez commença à grandir : et il grandit, il grandit, il grandit… En quelques minutes il devint un nez qui n'en finissait pas.

Le pauvre Geppetto s'épuisait à le retailler ; mais plus il le retaillait et le raccourcissait, plus ce nez impertinent s'allongeait !

Après le nez, il fit la bouche.

La bouche n'était pas encore terminée qu'elle commença à rire et à se moquer de lui.

— Arrête de rire ! dit Geppetto piqué au vif ; mais ce fut comme parler à un mur. Arrête de rire, je te dis ! cria-t-il d'une voix menaçante.

Alors la bouche s'arrêta de rire, mais sortit une langue démesurée.

Pour le bien de son œuvre, Geppetto fit semblant de ne pas s'en apercevoir et continua à travailler. Après la bouche, il fit le menton, puis le cou, puis les épaules, l'estomac, les bras et les mains.

À peine les mains étaient-elles terminées que Geppetto sentit sa perruque s'enlever de sa tête. Il leva les yeux, et que vit-il ? Il vit sa perruque jaune dans les mains du pantin.

— Pinocchio !… Rends-moi tout de suite ma perruque !

Mais Pinocchio, au lieu de lui rendre la perruque, la mit sur sa tête à lui, et resta là-dessous à moitié étouffé.

À ce geste insolent et moqueur, Geppetto devint tout triste et mélancolique comme il ne l'avait jamais été de sa vie ; et se tournant vers Pinocchio, il lui dit :

— Diable d'enfant ! Tu n'es même pas terminé, et déjà tu manques de respect à ton père ! Ce n'est pas bien, mon garçon, ce n'est pas bien !

Et il essuya une larme.

Il restait toujours à faire les jambes et les pieds.

Quand Geppetto les eut terminés, il reçut un coup de pied sur le bout de son nez.

— C'est bien fait ! se dit-il alors en lui-même. Il fallait y penser avant, maintenant c'est trop tard !

Il prit alors le pantin sous les bras et le posa par terre, sur le parquet de la pièce, pour le faire marcher.

Pinocchio avait les jambes engourdies et ne savait pas s'en servir, aussi Geppetto le tenait-il par la main et le guidait-il pour lui apprendre à mettre un pied devant l'autre.

Quand ses jambes se furent bien dégourdies, Pinocchio commença à marcher tout seul et à courir à travers la pièce ; et brusquement, il prit la porte, bondit dans la rue et s'enfuit.

COLLODI, Carlo. *Les aventures de Pinocchio*, Paris, © Éditions Gallimard. Traduction française : Nathalie Castagné, 1985.

Lao

Kungo, un jeune Inuit, entreprend un long voyage. Il est recueilli par le vieil archer Ittok, qui lui apprend à tirer à l'arc et à chasser. Il passe plusieurs années auprès de ce dernier, de sa femme et du nain Telikjuak.

Au cours de la dernière lune de l'hiver, le nain Telikjuak, dont le nom signifie « celui qui a de longs bras », parcourut l'île avec Kungo. Il le fit pénétrer dans les nombreux passages à l'intérieur des falaises qui entouraient la maison d'Ittok et la caverne exiguë, glaciale et vide où il dormait. Le nain ne possédait qu'une longue peau d'ours blanc qu'il étendait sur la corniche lui servant de lit. Il montra à Kungo les ouvertures situées à l'arrière des cavernes : l'une ouvrait sur un lac étroit et profond où l'on puisait l'eau fraîche, et l'autre sur un enclos où les chiens étaient gardés.

Au-delà du rocher, l'île de Tugjak s'étendait vers le nord. Kungo et Telikjuak y firent souvent des promenades en longeant les falaises. Ils exploraient la mer gelée, à la recherche de morses ou de baleines qui venaient respirer dans les grands trous d'eau.

Dès le jour de son arrivée, Kungo aida Telikjuak à prendre soin des dix chiens d'Ittok. Le nain lui apprit comment les dresser sans les craindre. Il lui recommanda de respecter Lao, la chienne blanche, qui prenait la tête de l'attelage et qui répondait rapidement aux ordres du conducteur.

Elle ne pouvait se battre comme les chiens mâles, mais ceux-ci la protégeaient. Lorsque Kungo s'approchait de Lao, pour la nourrir, elle frottait son museau contre ses jambes et lui léchait les mains.

Un soir d'hiver, alors qu'un froid intense sévissait et que la lune, ronde et blanche comme l'ivoire, brillait dans le ciel, Kungo entendit le hurlement d'un loup qui semblait parvenir de l'extrémité de l'île. Le cri lugubre se répéta et la chienne, Lao, lui répondit par un gémissement prolongé.

Kungo courut à l'enclos où les chiens dormaient, mais Lao n'y était plus. Il la vit qui courait à une allure folle vers le bout de l'île. Il se retourna et aperçut Telikjuak, debout à ses côtés.

— Ce loup va tuer ta petite Lao, dit-il.

Mais il se trompait. Le matin suivant, Kungo la retrouva parmi les autres bêtes de l'attelage. Elle paraissait fatiguée, mais contente. Lorsque le printemps arriva, Lao grossit et Kungo lui construisit une hutte de neige.

Un matin, il l'aperçut qui montrait les dents aux autres chiens et qui grognait. Entrant dans la hutte, il découvrit six chiots, blancs comme neige, qui venaient de naître. Il en prit un dans ses bras et l'examina : ses oreilles étaient plus grandes et son museau plus long que ceux de pure race esquimaude. Ses pattes minces et hautes, ses pieds largement évasés allaient lui permettre de courir rapidement sur la neige. Ce n'était pas un chiot ordinaire que cette petite bête, moitié loup, moitié chien. Kungo courut à la maison pour apprendre la nouvelle à Ittok et à la vieille femme.

Enchanté, le vieillard dit en riant :

— Si tu réussis à élever ces enfants de loup, ils t'appartiendront. Les loups sont moins forts que les chiens, mais plus rapides ; ils sont infatigables et n'ont besoin que de peu de nourriture. […]

L'une des bêtes, élancée et très belle, ressemblait plus que les autres à un loup. Un regard perçant animait ses yeux étranges et elle se tenait, tel un prince blanc, près de Lao.

— Amahok, tu seras le chef de la bande, dit Kungo.

Le chien, reconnaissant ce nom de loup, vint d'un bond se placer près du garçon qui ne le toucha pas, car il devinait qu'une force étrange, une ardeur sauvage, se cachaient sous cette toison blanche.

Kungo passa tout le printemps suivant à chasser les phoques et les morses qui se chauffaient au soleil sur les lointaines nappes glacées de la mer. Il entraîna les chiens-loups à se tenir en bandes et à lui obéir au moindre commandement ; ils apprirent bientôt à courir à vive allure et sans faire de bruit.

— Leur poitrine est étroite et ils ne sont pas aussi forts que nos chiens de traîneaux qui peuvent tirer d'énormes quartiers de viande, dit Telikjuak, mais, grâce à leurs longues pattes, ils courent avec la légèreté du vent. Ils ne se battent pas et savent chasser pour eux-même. Je n'ai jamais vu un tel attelage.

HOUSTON, James. *L'archer blanc, une légende esquimaude*, © Père Castor Flammarion, 1993.

Unité 9

Le mime

Le mime est une technique d'expression corporelle qui permet la découverte de ton corps.

Le mime est l'art d'exprimer une idée, un sentiment par des gestes et des attitudes du corps et surtout du visage.

Même si le mime comporte un élément d'exagération, sa qualité doit demeurer sa simplicité.

Avant de faire du mime, pratique des exercices de relaxation, d'équilibre et de décomposition, car tu dois bien sentir chaque partie de ton corps.

Tu peux t'aider d'accessoires réels pour les gestes, mais tu peux évoquer les objets plutôt que de les utiliser réellement. Évite toutefois une gesticulation complexe. [...] Voici quelques exercices qui te familiariseront avec le mime.

La marche

Mime la marche de différentes personnes : un obèse, un vieillard, un aveugle, un conspirateur, un bossu.

Tu peux aussi rythmer la marche à l'aide d'un tambour : avec départs et arrêts subits, en variant les vitesses, en marchant sur la pointe des pieds, en sautant d'un pied sur l'autre, en levant les genoux.

Les gestes

Individuellement, exerce-toi :
- à mettre et à enlever un chapeau, des gants, une robe ou un pantalon ;
- à ouvrir et à fermer une porte, puis à monter et à descendre un escalier ;
- à coudre un bouton maladroitement ou habilement.

En équipe, on peut scier un arbre, se passer des briques, manier un aviron, jouer au tennis.

Les sentiments

C'est un peu plus difficile d'exprimer des sentiments. Alors, tu imagines d'abord une situation où le sentiment identifié se manifesterait.

Par exemple, la colère. Tu t'es levé du mauvais pied, tout le monde te harcèle, te chicane et te tape sur les nerfs.

Voici d'autres sentiments à exprimer : la joie, la tristesse, la peur, la honte, la convoitise.

Voici maintenant deux jeux que tu peux faire en équipe.

Les mots

On se groupe en deux équipes. Chaque équipe trouve autant de mots à mimer qu'il y a de joueurs. Chaque joueur pige un mot. Il s'agit alors de mimer les mots que l'équipe adverse a donnés, et vice versa.

La sculpture

On se groupe deux par deux. Un fait le sculpteur, l'autre, la sculpture.

Le sculpteur réalise sa sculpture en plaçant les membres de celle-ci, en donnant au visage l'expression qu'il désire (exemple : étirer les joues pour faire sourire).

Le jeu se fait en silence. La sculpture doit être tout à fait neutre, et ne prendre que les attitudes que le sculpteur lui donne.

On renverse ensuite les rôles.

« Le mime », *Quipo,* © Fédération québécoise de scoutisme, octobre 1993, p. 8.

Facteur ou farceur ?

Durée approximative : 1 min 30.

2 personnages : Le clown-facteur et Jules Farceur.

Accessoires : 2 déguisements de clowns, une sacoche et des lettres, un énorme paquet cadeau vide et un paquet cadeau contenant un grand F en bois ou en carton.

Résumé : Deux clowns se rencontrent le jour de leur anniversaire. Quel est le facteur ? Quel est le farceur ?

Deux clowns se croisent. Ils parlent tous les deux en même temps.

LES CLOWNS

Oh, un clown ! Vous habitez dans ce quartier ? Oui, je viens d'emménager.

Les deux clowns éclatent de rire, puis parlent l'un après l'autre.

JULES

Je suis un clown farceur.

FACTEUR

Facteur, comme moi ? Vous distribuez du courrier ?

JULES

Non, far-ceur ! Jules Farceur, c'est mon nom.

Le clown-facteur sort des lettres de sa sacoche.

FACTEUR

Far… Farandole, Farfelu… Far breton… Phare marin… Farceur : rien !

JULES

Dommage.

FACTEUR

Vous attendiez quelque chose ?

JULES

Un paquet.

FACTEUR

Un paquet cadeau ?

JULES

Oui, c'est mon anniversaire, aujourd'hui.

FACTEUR

Quelle coïncidence ! Moi aussi, c'est mon anniversaire. Attendez une minute.

Le clown-facteur va chercher un énorme paquet cadeau.

FACTEUR

(tend le paquet à Jules) Tenez ! Joyeux anniversaire !

JULES

Oh, merci ! *(ouvre le paquet)* Mais il est vide…

FACTEUR

Cadeau normal pour un farceur !

Le clown-facteur rit. Jules Farceur est vexé.

JULES

Attendez une minute ! J'ai une surprise pour vous.

Jules Farceur va chercher un paquet cadeau.

JULES

(tend le paquet au facteur) Tenez ! Joyeux anniversaire !

FACTEUR

Oh, merci ! *(ouvre le paquet et en sort un grand F)* Qu'est-ce que c'est ?

JULES

Une lettre.

FACTEUR

Une lettre ?

JULES

Cadeau normal pour un facteur !

Les deux clowns éclatent de rire, veulent se serrer la main et perdent l'équilibre, en criant.

LES CLOWNS

Joyeux anniversaire !

Noir.

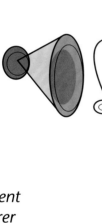

ROCARD, Ann. « Facteur ou farceur ? », *Malin comme un singe. Pièces de théâtre pour acteurs en herbe*, Paris, © Éditions Bernard Grasset Jeunesse, 1995 (Coll. Théâtre).

Comment monter un spectacle ?

Trouver les rôles

Bonne idée que de faire une surprise à ses parents pour la Noël en leur interprétant une petite pièce de théâtre. Mais le sujet choisi, par où commencer ? Qui jouera quel rôle ?

Voici quelques idées pratiques dont les acteurs pourront discuter entre eux.

Chaque personnage a des caractéristiques bien particulières dont il faut tenir compte.

L'âge

Quel est l'âge du personnage ? Quelle attitude corporelle conviendra le mieux pour l'interpréter ? Marche-t-il bien droit ou un peu voûté, relève-t-il légèrement les épaules ou déambule-t-il nonchalamment, fourre-t-il les mains dans les poches de son pantalon… ?

Le caractère

La personne est-elle enjouée, gaie, morose, insolente ou timide ? Comment les spectateurs peuvent-ils la reconnaître ? Peut-être à l'expression du visage : la personne peut regarder autour d'elle avec assurance ou scruter le sol avec inquiétude, elle peut sourire en penchant légèrement la tête sur le côté ou regarder fixement devant elle en fronçant les sourcils.

L'humeur

La personne est peut-être de bonne humeur ou fatiguée, malade ou nerveuse ? S'est-il passé un événement qui l'effraie, la fâche ou l'angoisse ? Ou, au contraire, quelque chose de merveilleux et d'inespéré est-il arrivé, si bien qu'elle est au comble de la joie. Comment exprimer cet état d'esprit ? Un homme fatigué a une démarche traînante, tandis qu'un individu de bonne humeur se déplace à un bon rythme. Une personne effrayée ouvrira probablement les yeux tout grands et placera les deux mains devant la bouche. Un individu qui se réjouit pourra se balancer de plaisir sur sa chaise et regarder autour de lui d'un air rayonnant. [...]

La voix

Le personnage a-t-il une voix aiguë ou grave ? Son débit est-il lent ou rapide ? Bégaie-t-il d'énervement ou fait-il de longues pauses lorsqu'il parle, parce qu'il réfléchit ou qu'il rêve ? Une voix en colère ou énervée sera perçante, tandis que les voix douces et apaisantes seront plutôt graves et lentes.

Le lieu

Où se déroule l'histoire ? À l'intérieur ou à l'extérieur ? S'agit-il d'un endroit exigu, par exemple un ascenseur, ou d'un lieu très vaste comme une prairie ou un parc de jeux ? Les acteurs occupent l'espace différemment suivant les cas.

En scène

Chaque acteur cherche un rôle qui lui convient. [...] En cas de problème, vous pouvez vous servir d'une comptine pour attribuer les rôles. Qui sera le petit frère insolent ?

WALTER, Gisela. *Théâtre d'enfants. Comment monter un spectacle ?*
Paris, © Casterman S. A, 1995.

Du rififi chez les fées

Personnages

Six dont une lectrice, plus âgée, et sept figurants (les petits nains).

Accessoires

Un grand livre de contes de fées.

Des costumes de Petit Chaperon rouge, de Blanche-Neige, des sept nains, de la Belle au bois dormant, de Cendrillon, et du loup.

La lectrice ouvre le grand livre de contes et commence à lire.

La lectrice : « Il était une fois une petite fille tout de rouge vêtue, qu'on appelait le Petit Chaperon rouge. Un jour qu'elle allait voir sa grand-mère, pour lui porter une galette et un petit pot de beurre, elle rencontra dans la forêt… »

Le petit Chaperon rouge apparaît, en colère.

Le Chaperon rouge : Stop ! J'en ai assez de rencontrer ce loup de malheur !

La lectrice : Ah bon ! Qui est-ce que tu voudrais rencontrer, alors ?

Le Chaperon rouge : Je ne sais pas, moi, Blanche-Neige, par exemple. Elle a l'air si gentille.

La lectrice : C'est facile, elle se trouve quelques pages plus loin. Ne bouge pas, je la cherche.

Le Chaperon rouge s'assied dans un coin.

La lectrice tourne les pages du livre.

La lectrice : Ah, voilà : « Il était une fois, une jeune fille aux cheveux noirs comme l'ébène, et à la peau blanche comme la neige. On l'appelait Blanche-Neige. »

Blanche-Neige apparaît, suivie des sept petits nains qui chantent leur chanson.

Blanche-Neige : Bonjour, tout le monde !

(Au Chaperon rouge) Mais qu'est-ce que tu fais là, toi ?

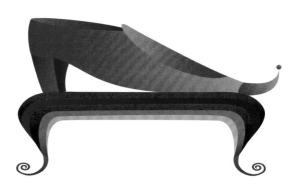

Le chaperon rouge : J'avais envie de te voir, avec tes petits nains… et aussi le Prince charmant.

Blanche-Neige : Justement, moi, je me demandais si le Prince charmant de Cendrillon n'était pas plus beau que le mien.

La lectrice : On va voir, on va voir… *(Elle tourne les pages du livre)* Hum, la voici, ta Cendrillon, en train de se sauver. Mais elle est seule ! Elle a déjà perdu sa fameuse pantoufle.

Cendrillon : Oh ! mes amis, quelle course ! Je n'en peux plus. Alors, je suis en retard ?

Le Chaperon rouge : Hélas ! il n'y a plus de carrosse !

Blanche-Neige : Mais il y a un vélo, ça peut peut-être te dépanner !

Cendrillon : Ah non ! tant pis, je préfère rester avec vous. Vous attendez encore du monde ?

La lectrice : J'ai la Belle au bois dormant à vous proposer, si vous voulez !

Toutes : Oh oui, oh oui !

La Belle au bois dormant arrive en titubant et en bâillant.

La Belle au bois dormant : Je ne sais pas ce qui m'arrive, j'ai sommeil, j'ai sommeil !

Elle s'allonge et s'endort.

La lectrice : Bon ! Il y en a pour cent ans !

Le Chaperon rouge : Alors, qu'est-ce qu'on fait ?

Cendrillon : On pourrait faire un peu de ménage !

Blanche-Neige : Ou confectionner une tarte aux pommes !

Soudain on entend un hurlement, et le loup arrive, très énervé.

Le loup : Ah, ah ! Qu'est-ce que j'apprends ? On ne veut plus me rencontrer dans les bois ? C'est ce qu'on va voir !

Tous les personnages se lèvent, y compris la Belle au bois dormant soutenue par les autres, et se sauvent en criant vers les coulisses.

Le loup, content de lui, se plante sur le devant de la scène.

Le loup : Ah, quand même ! Je continue à produire mon effet. Vous avez vu ça !

La lectrice : Bon, ça suffit pour aujourd'hui. Demain, je lirai des histoires de robots. Ça sera peut-être plus calme !

ALBAUT, Corinne. *Du rififi chez les fées. 10 saynètes pour découvrir le théâtre,* Arles, © Actes Sud Junior, 2000 (Coll. Spectacles).

À toi de jouer, Sarah !

— La maîtresse a dit qu'on allait faire du théâtre, cette année. Je ne veux pas faire de théâtre, moi ! J'ai horreur de ça, marmonne-t-elle, les yeux bouffis et les joues mouillées. Il va falloir que je parle devant des centaines de personnes.

Faire du théâtre ? Être sur scène devant une salle pleine de gens ? Pauvre Sarah ! Quel cauchemar ! Elle est tellement timide… J'espère au moins qu'elle aura un tout petit rôle. Un rôle où elle n'aura qu'une phrase très courte à dire ou, mieux encore, juste un mot… et de préférence, un mot très, très, très court.

La voilà qui recommence à pleurer.

— Tu n'exagères pas un peu, ma chérie ? insinue Anne, en me poussant par terre pour aller chercher les mouchoirs de papier.

— Non, je n'exagère pas. On va jouer devant TOUS les parents, TOUS les professeurs et TOUS les autres élèves de TOUTE l'école ! répond Sarah d'une voix tremblotante.

— Oui, mais sûrement après avoir répété plusieurs fois. Tu n'es pas pire que les autres, Sarah. Tu es capable, toi aussi.

Sarah prend un mouchoir et enfouit son visage entier dedans. Je remonte près d'elle et délicatement, avec ma patte, j'essaie d'attraper ce vilain mouchoir qui m'empêche de voir ses yeux bleus.

— Sarah, continue sa mère, tu t'inquiètes toujours pour rien. Tu le sais bien. Allons, mouche-toi.

Je m'éloigne avant de me faire casser les oreilles. Sarah a le nez en trompette et, quand elle se mouche, on dirait une fanfare désaccordée !

— Chaque année, c'est la même chose, fait remarquer sa mère. Le jour de la rentrée, tu reviens à la maison en pleurant et le lendemain, tu as déjà tout oublié !

— Ce n'est même pas vrai ! Demain, je n'aurai pas oublié. Le pire, continue Sarah, c'est que la maîtresse m'a donné le rôle le plus important de la pièce.

Malheur de malheur : le premier rôle !

Sarah pousse un soupir, comme si elle portait une montagne sur ses épaules.

— Mais Sarah… Tout le monde rêve d'avoir le meilleur rôle et toi, tu n'es pas contente ? réplique Anne. Au fait, de quel personnage s'agit-il ?

— Une sorcière.

— Sarah, c'est merveilleux ! Toi qui adores te déguiser en sorcière, à l'halloween… Tu vas pouvoir porter le costume que j'ai confectionné pour toi l'an dernier.

Il faut dire que, dès que Sarah porte un costume, elle devient tout à coup très brave. L'année où elle s'est déguisée en diable, il paraît qu'elle faisait des grimaces au directeur de l'école. Quand elle s'est costumée en vampire, elle courait après tout le monde et même Guillaume avait peur d'elle.

Moi aussi, j'adore l'halloween ! Anne m'a confectionné un chapeau pointu et une petite cape noire avec les retailles du costume de Sarah et depuis, je fais la tournée annuelle avec elle.

— Faire du théâtre, ce n'est pas comme fêter l'halloween ! reprend Sarah. Je dois apprendre des dizaines de pages de texte par cœur !

— Si la maîtresse t'a donné ce rôle, elle croit sûrement que tu es capable de bien le jouer.

— Alors ce n'est pas une bonne maîtresse, parce qu'elle se trompe ! Maman, je veux que tu lui expliques que je ne peux pas et que…

La sonnerie du téléphone retentit dans la maison.

— Écoute, Sarah, fait Anne en se levant pour aller répondre, cesse de t'en faire et va donc jouer dehors avant le souper.

GÉNOIS, Agathe. *À toi de jouer, Sarah !* Saint-Lambert, Dominique et compagnie, 2000 (Coll. Libellule).

THÉÂTRE

À la pharmacie

Fiche de
lecture
30

Karl Valentin

Karl Valentin va chercher son inspiration dans les faubourgs de Munich où il est né. Ses personnages sont toujours assez caricaturaux, grotesques et tragiques. […]

Karl Valentin n'a pratiquement jamais joué que ses propres pièces. Il part souvent d'improvisations avec sa partenaire Liesl Karlstadt. Parmi ses textes les plus connus, on trouve *Les Chevaliers pillards devant Munich*, *Le Grand Feu d'artifice*, *Les Pupitres ensorcelés*, *La Sortie au théâtre*, *Le Bastringue*, *Le Projecteur réparé…* […]

L'histoire : un client (le rôle était joué par Karl Valentin) rentre dans une pharmacie et interroge le pharmacien (le rôle était joué par sa partenaire, Liesl Karlstadt).

À partir de huit ans   **4 minutes**   **Valentin Karlstadt**   **Comédie**

Lieu : espace réduit évoquant une pharmacie.

Costume : pour le pharmacien, une blouse blanche.

Accessoire : une table représentant un comptoir qui sépare le pharmacien du client.

VALENTIN

Bonjour, Monsieur le pharmacien.

KARLSTADT

Bonjour, monsieur, vous désirez?

VALENTIN

Ben, c'est difficile à dire.

KARLSTADT

Aha, sûrement un mot latin?

VALENTIN

Non, non, je l'ai oublié.

KARLSTADT

Bon, on va bien le retrouver,
vous n'avez pas d'ordonnance?

VALENTIN

Non!

KARLSTADT

Qu'est-ce que vous avez?

VALENTIN

Eh bien, c'est l'ordonnance,
c'est l'ordonnance que je n'ai pas.

KARLSTADT

Non, je veux dire, vous êtes malade?

VALENTIN

D'où vous vient cette idée.
Est-ce que j'ai l'air malade?

KARLSTADT

Non, je veux dire, le médicament est-il
pour vous ou pour une autre personne?

VALENTIN

Non, pour mon enfant.

KARLSTADT

Ah bon, pour votre enfant.
C'est votre enfant qui est malade.

Qu'est-ce qu'il a, cet enfant ?

VALENTIN

L'enfant, c'est sa mère qu'il n'a pas.

KARLSTADT

Ah, l'enfant n'a pas de mère ?

VALENTIN

Si, mais pas une vraie mère.

KARLSTADT

Ah bon, l'enfant a une belle-mère.

VALENTIN

Oui, oui, hélas, la mère est belle,
mais ce n'est pas la vraie, et c'est
pour ça qu'il aura pris froid.

KARLSTADT

Il tousse, cet enfant ?

VALENTIN

Non, il crie seulement.

KARLSTADT

Peut-être a-t-il des douleurs ?

VALENTIN

Possible, mais c'est compliqué. L'enfant
ne dit pas où ça lui fait mal. Sa belle-mère
et moi, on se donne la plus grande peine.
Aujourd'hui j'ai dit à l'enfant : si tu dis bien
gentiment où ça te fait mal, plus tard
tu auras une belle moto.

KARLSTADT

Et puis ?

VALENTIN

L'enfant ne le dit pas,
il est complètement borné.

KARLSTADT

Quel âge a-t-il donc, cet enfant ?

VALENTIN

Six mois.

KARLSTADT

Voyons, à six mois un enfant
ne sait pas encore parler.

VALENTIN

Ça non, mais il pourrait tout de même
montrer où il a des douleurs, si un enfant
sait crier comme ça, il devrait pouvoir
montrer où se trouve le foyer de la maladie,
pour qu'on le sache.

KARLSTADT

Peut-être qu'il a toujours les doigts
dans la bouche ?

VALENTIN

Oui, exact !

KARLSTADT

Alors, c'est qu'il est sur le point
d'avoir ses premières dents.

VALENTIN

Les avoir de qui ?

KARLSTADT

De la nature.

VALENTIN

De la nature, c'est bien possible, mais alors
il n'a pas besoin de crier, parce que quand
on va avoir quelque chose on ne crie pas,
on se réjouit.

Non, non, l'enfant est malade et ma femme
a dit : va à la pharmacie et rapporte… ?

KARLSTADT

De la camomille ?

VALENTIN

Non, c'est pas quelque chose qui se boit.

KARLSTADT

Peut-être a-t-il des vers, l'enfant ?

VALENTIN

Non, non, on les verrait.

KARLSTADT

Non, je veux dire, à l'intérieur.

VALENTIN

Ah bon, à l'intérieur, là on n'a pas
encore regardé.

KARLSTADT

Ah, mon cher monsieur, c'est une affaire
difficile pour un pharmacien quand on ne
lui dit pas ce que veut le client !

VALENTIN

Ma femme m'a dit, si je ne sais plus le nom,
je dois vous donner le bonjour de l'enfant,
de ma femme plutôt, et l'enfant ne peut pas
dormir, il est toujours terriblement agité.

KARLSTADT

Agité ? Mais alors prenez un calmant.
Le mieux peut-être :

Isopropilprophemilbarbituracidphénildiméthil
dimenthylaminophirazolon.

VALENTIN

Vous dites ?

KARLSTADT

Isopropilprophemilbarbituracidphénildiméthil
dimenthylaminophirazolon.

VALENTIN

Comment ça s'appelle ?

KARLSTADT

Isopropilprophemilbarbituracidphénildiméthil
dimenthylaminophirazolon.

VALENTIN

Ouiii ! C'est bien ça ! Si simple et on n'arrive
pas à s'en souvenir !

VALENTIN, Karl. « À la pharmacie », *La sortie au théâtre
et autres textes,* © Éditions Théâtrales. Traduit de l'allemand
par Jean-Louis Besson et Jean Jourdheuil, 2002, p. 54-56.

Derrière le rideau de scène

Fiche de lecture 31

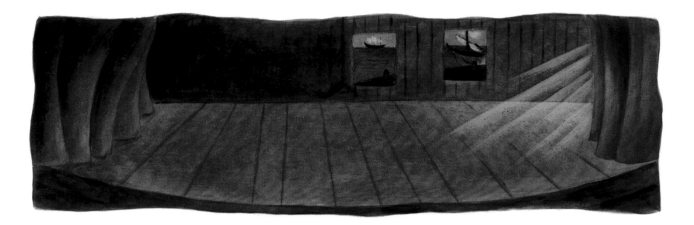

Le décor était presque vide, l'éclairage faible. Aucun meuble, aucun accessoire ne pouvait laisser penser qu'on était au XVIIe siècle. Au fond, il y avait juste deux fenêtres qui donnaient sur un port et la mer au loin, en trompe l'œil.

Une longue silhouette s'avança, suivie d'un faisceau de lumière qui balaya la scène. Je me retournai rapidement pour voir d'où il venait. Derrière nous, tout en haut, au-dessus du poulailler, je vis, non pas un projecteur, mais une espèce de cabine. Je m'étais trompé, le faisceau de lumière venait du côté de la scène, juste derrière le manteau d'Arlequin, côté cour.

Je crois que la cabine que j'avais vue était celle des éclairagistes qui règlent la lumière. Maman m'avait expliqué qu'ils travaillaient à partir d'une sorte de console pleine de boutons qui s'appelle un jeu d'orgue. Elle savait que j'adore tous ces aspects techniques. Je me demande même si ce n'est pas la seule chose qui m'intéresse au théâtre.

Soudain — j'avais presque oublié qu'on était venu voir une pièce — j'entendis :

— *Ah ! fâcheuses nouvelles pour un cœur amoureux ! Dures extrémités où je me vois réduit !*

« Quand même, pensais-je, quelle façon bizarre de s'exprimer. Je ne sais pas comment les acteurs arrivent à rester sérieux en parlant comme ça ! »

Le personnage ne portait pas de perruque, il était habillé d'un costume de velours bleu très simple, presque contemporain, en tout cas difficile à dater pour moi. Il avait surtout le teint très blanc et de grands yeux cernés de noir qui lui donnaient un air de Pierrot.

Sa voix était particulière, très différente de la normale. Il articulait de façon curieuse. Mais le temps de comprendre, la conversation était déjà engagée bon train avec un autre personnage, apparemment un valet.

J'essayais de comprendre tout ce qui se disait, tout ce qui se passait. Je me redressais, intrigué, pour mieux voir. Certains passages m'échappaient. Je me souvenais heureusement de l'intrigue dans ses grands traits pour avoir étudié la pièce l'année précédente.

Scapin débarqua sur scène, vif comme le vent. C'était Richard, je le reconnus immédiatement. Il ne semblait pas non plus très maquillé, plutôt blanchi. Il portait un simple pantalon bouffant qui s'arrêtait sous le genou et une large chemise blanche, avec un chapeau mou à larges rebords. Il avait des chaussures à lacets, également blanches, usées : on aurait dit des baskets !

Finalement, l'absence de perruques, de costumes trop chargés et de vieux meubles me convenait tout à fait. C'était comme si les comédiens étaient plus proches de nous.

Sur scène, se déplaçant d'un personnage à l'autre, Richard-Scapin montrait une assurance incroyable. J'étais bluffé. Je n'étais pas le seul. Je sentais le public s'animer, je l'entendais rire, d'abord timidement puis de plus en plus franchement.

Parfois, je perdais le fil de l'action. Je regardais Sarah et maman, je pensais à papa, je sombrais dans mes pensées. Puis un accent, une hausse de ton ou une lumière plus crue attirait de nouveau mon attention.

Tant pis si je ne comprenais pas tout. Après tout, j'étais ici pour mon anniversaire.

Je n'avais qu'à me laisser porter par l'action, l'enchaînement des scènes, le jeu des acteurs. Mes passages préférés étaient ceux où Scapin déversait un torrent d'injures toutes plus saugrenues les unes que les autres, par exemple quand il se met à imiter le vieux Géronte.

— *Comment, pendard, vaurien, infâme, fils indigne… Maraud… Fripon… Réponds-moi, coquin…*

J'allais retenir quelques-unes de ces injures pour les ressortir à mes copains au collège.

La pièce allait vite. Scapin bougeait, pirouettait, tombait, se relevait, déployait une énergie contrôlée à toute épreuve. Je regardais ses jambes que son pantalon court découvrait : elles couraient sur la scène avec autant d'agilité et de nervosité que celles d'un joueur de tennis.

À d'autres moments, Scapin adoptait une démarche saccadée et dégingandée qui me rappelait Charlot. Il semblait agir comme une sorte d'aimant attirant puis repoussant les comédiens autour de lui.

Quand un personnage se croyait seul et monologuait dans son coin, Scapin, à côté, faisait des commentaires ironiques en aparté, et je me pliais en deux de rire. J'avais l'impression que Richard-Scapin m'associait à lui pour se moquer de toutes les victimes de ses farces.

Je jetai un coup d'œil subreptice à maman. Elle aussi avait les larmes aux yeux. Je ne sais pas si c'était de rire ou d'émotion. Elle croisa mon regard. Je crois qu'elle riait autant de me voir rire que de la pièce elle-même.

Sarah s'était endormie contre son épaule. Ma casquette était tombée par terre. Toute ma mauvaise humeur avait fondu.

ALEXANDRE, Céline. *Derrière le rideau de scène*, Paris, © Éditions Gallimard Jeunesse, 1999 (Coll. Folio Junior).

Les attitudes, les mimiques, ce que l'on appelle la « gestuelle » de Scapin, sont inspirées par celle des personnages de la Commedia dell'arte. Ce terme désigne un genre théâtral qui se développa en Italie du XVIe au XVIIIe siècle. Le personnage de Scapin doit en particulier aux « zannis », serviteurs rusés et débrouillards.

La petite histoire du théâtre d'ombres

Le chagrin de l'Empereur Wu-Ti

Le théâtre d'ombres est-il apparu en Chine ou en Inde ? On ne sait pas vraiment, mais voici ce que l'on racontait déjà en Chine au 2e siècle avant Jésus-Christ : l'empereur Wu-Ti était si triste d'avoir perdu son épouse, que son entourage eut l'idée de faire apparaître l'ombre de sa bien-aimée derrière une toile tendue entre deux portes. Alors chaque nuit, l'illusion de son image rendait à nouveau l'empereur joyeux. Ainsi serait né le théâtre d'ombres !

Dès le 11e siècle, à Pékin, on se presse dans la rue autour du « montreur d'ombres » : il se cache derrière un écran, que les Chinois appellent « toile de la mort », et agite de petites poupées articulées et montées sur une tige de bambou. Ce sont en fait des silhouettes finement découpées dans une peau d'âne colorée.

Les marionnettes de Java

À Java, en Indonésie, le théâtre d'ombres raconte des histoires fabuleuses tirées de la religion et le spectacle peut parfois durer des nuits entières. Un acteur, appelé «Dalang», très respecté pour ses talents par la société, fait parler les «Wayang kulit»: ce sont des marionnettes plates à grosse tête qui sont peintes et richement décorées. Les spectateurs masculins avaient le droit de s'asseoir derrière la scène pour admirer le jeu des silhouettes colorées; tandis que sur le devant, les femmes ne pouvaient voir que les ombres des marionnettes!

Karagöz, l'idole des Turcs

Au 16e siècle, la civilisation turque connaît aussi la tradition du spectacle d'ombres. Les silhouettes, bien que moins raffinées qu'en Chine ou à Java, sont ici très comiques! La vedette, Karagöz, est un vrai fanfaron. Tenus par des baguettes horizontales, ses pieds ne touchent pas le sol et on peut facilement lui faire faire une pirouette complète.

Merci monsieur Séraphin!

En France, le théâtre d'ombres se répand au 18e siècle grâce à monsieur Séraphin. En 1722, dans son castelet, un petit théâtre de marionnettes, monsieur Séraphin découpe des silhouettes en tôle mince et les fait glisser en musique et en chanson devant des décors en carton pour amuser les enfants.

Quel succès! Les grandes personnes sont bientôt jalouses et le petit théâtre de monsieur Séraphin se joue dans les salons, même dans celui de la reine Marie-Antoinette à Versailles!

Monsieur Silhouette était Contrôleur des Finances de Louis XV. Chargé de renflouer les caisses du Roi, il se fit beaucoup d'ennemis. Pour se moquer de lui, on fit partout circuler la caricature en papier découpé de son profil. Son nom de famille donna ainsi naissance au mot« silhouette »!

Avec 10 doigts, j'invente le monde!

Au 19e siècle, on invente encore d'autres jeux d'ombre, comme les « ombres chinoises blanches », sortes de cartes découpées qui laissent passer la lumière et la projettent sur le mur en lui donnant la forme de monstres curieux.

L'ombromanie ou l'art de faire des ombres à la main fait aussi fureur! Sur les Champs-Elysées, un artiste appelé Trewey réussissait même, paraît-il, à faire avec ses doigts plus de trois cents figures! Quel exploit!

«La petite histoire du théâtre d'ombres», © *Le Petit Léonard*, no 31, novembre 1999.

Claude Monet, peintre impressionniste

Fiche de lecture 33

Le petit journal

1er mars 1882

LE SALON DES INDÉPENDANTS 1882

Monet peint ses impressions au fil de l'eau

À l'occasion de la septième exposition des Artistes indépendants, nous avons rencontré l'un des chefs de file du mouvement impressionniste, le peintre Claude Monet, qui a accepté de nous répondre.

PARIS JOURNAL : C'est bien l'une de vos œuvres qui est à l'origine de ce nom d'impressionnisme ?

CLAUDE MONET : Oui. Lors de la première exposition du groupe, en 1874, j'exposais une petite toile, un lever de soleil dans la brume d'un petit matin. Mon ami Renoir m'a demandé comment je voulais l'appeler. J'étais pressé, j'ai dit : « Impression, soleil levant ». Les critiques trouvaient ma toile un peu bâclée, enfin... pas à leur goût. L'un d'eux a écrit que nous étions « impressionnistes ».

PARIS JOURNAL : Il voulait se moquer de vous et... ça vous a plu !

CLAUDE MONET : Oui, parce que c'était bien trouvé. Nous cherchons à exprimer les impressions que nous ressentons face à la nature. Nous voulons saisir l'instant.

PARIS JOURNAL : Aujourd'hui, vous exposez 35 toiles, surtout des marines. Ça n'est pas un hasard ?

CLAUDE MONET : Non, j'ai une passion pour la mer, si belle et si changeante. J'aimerais la peindre tous les jours, à toute heure, au même endroit. Je cherche l'impossible sans doute.

PARIS JOURNAL : Nous vous souhaitons de le trouver !

La passion de l'eau

Claude Monet a 41 ans lors de la septième exposition des Artistes indépendants. Bientôt, il va s'installer à Giverny où il vivra encore 45 ans pour la peinture. On peut visiter cette belle propriété où il peignit ses fameux nymphéas, immenses tableaux d'eau, de nénuphars, de plantes aquatiques.

SELLIER, Marie. « Claude Monet. Peintre impressionniste », *L'art et les artistes*, Paris, © Nathan/VUEF, 2002 (Coll. Megascope).

Réaliser un herbier

Si tu veux conserver les fleurs que tu as trouvées, il faut les faire sécher. Pour la cueillette, emporte un canif et un sac de plastique, afin de les garder humides.

Tu peux aussi glisser les fleurs entre les pages d'une revue pour qu'elles ne s'abîment pas.

Ne cueille pas les fleurs rares : des espèces ont déjà disparu parce qu'elles étaient trop belles !

Au retour, mets à sécher les plantes entre des buvards ou des feuilles de journaux, puis pose sur la pile une planchette et un poids très lourd.

Étale bien les feuilles et les fleurs : coupes-en s'il y en a trop.

Fais sécher les chardons et les céréales en les suspendant la tête en bas.

Surveille l'état de tes plantes chaque jour. Change le papier s'il est trop humide. Quand elles sont bien sèches, colle-les sur des feuilles blanches épaisses avec des petites bandes de papier adhésif. À côté de chacune d'entre elles, écris son nom ainsi que le lieu et la date de la cueillette.

Un paysage dans une boîte !

- Reconstitue le milieu où les plantes vivaient dans une grande boîte (de bois ou de carton fort).

- Rassemble quelques éléments caractéristiques (cailloux, touffes d'herbes, rameaux de buissons…).

- Dessine le paysage sur du papier épais.

- Évide le couvercle de la boîte. À la place, fixe du plastique transparent (ou une vitre).

- Colle ton dessin en arc de cercle au fond de la boîte. Dispose les plantes sans trop les serrer.

DE PANAFIEU, Jean-Baptiste. *Explorons la nature*, Paris, Nathan, 1991.

Le journal intime de la princesse Zélina

Fiche de lecture
35

Le 18 septembre

C'est génial ! Ce matin, papa m'a officiellement invitée au grand bal d'automne qui a lieu samedi au palais ! Je lui ai sauté au cou pour l'embrasser. C'est la première fois que j'ai le droit d'assister à un bal. J'étais tellement contente que j'en ai parlé à toutes les personnes que j'ai croisées dans le château...

Et puis, j'ai rencontré ma belle-mère Mandragone... Elle a tout gâché ! Quand je lui ai annoncé la nouvelle, elle a haussé les épaules. Elle m'a répondu que, de toute façon, je ne savais pas danser. À quoi bon venir ? J'allais simplement me couvrir de ridicule. [...] Ceci dit, c'est vrai que je risque d'être ridicule. C'est vraiment trop injuste.

Le 19 septembre

Ça y est, j'ai trouvé dans la bibliothèque le livre qu'il me fallait. Ça s'appelle *Manuel du menuet et pratique des autres danses.*

On s'est plongées dedans avec Ambre, ma confidente. On a bien regardé les images et Ambre a essayé de me faire répéter quelques pas dans la salle de bal. Quelle catastrophe... C'est beaucoup trop dur! [...]

Heureusement, à six heures, la couturière est arrivée pour me faire essayer ma robe de bal. Elle est sublime : tout en soie crème brodée de fils d'argent avec des perles de nacre. Mais ce que je préfère, c'est la paire de petits escarpins en satin assortis. [...]

Le 20 septembre

Aujourd'hui, j'ai décidé d'employer les grands moyens. J'ai appelé ma marraine, la fée Rosette, à la rescousse. Pour cela, rien de plus facile : j'ai retiré la mouche en tissu collée sur mon décolleté et j'ai soufflé dessus. Elle s'est transformée en vraie mouche qui est allée chercher Rosette.

Ma marraine, je l'adore! Elle est parfois un peu gaffeuse, mais elle a souvent des idées géniales. Après avoir un peu réfléchi, Rosette a secoué sa baguette au-dessus de mes escarpins. Et puis elle m'a dit :

— Maintenant, ce sont eux qui vont t'apprendre à danser!

J'ai enfilé les escarpins et ils ont commencé à exécuter les pas de danse tout seuls! Pendant trois heures, j'ai dansé, dansé, dansé... Résultat : il fait nuit noire, j'ai la tête qui tourne, je suis épuisée et je ne me souviens plus de rien.

Le 21 septembre

Oh, là, là, je crois que ce samedi a été le jour le plus éprouvant de ma vie ! Quand j'ai mis le pied dans la salle de bal, j'étais terrorisée et je n'arrivais plus à me rappeler du moindre pas. Et quand papa m'a tendu la main pour la première danse, mon petit cœur a bien failli s'arrêter...

On s'est lancés tous les deux dans une valse sous le regard des invités et... tout m'est revenu d'un coup. Sans que je réfléchisse, je savais où mettre mes pieds. On aurait dit que je volais sur le parquet ciré. Ça a été un vrai triomphe ! Quand la musique s'est arrêtée, tout le monde nous a applaudis. Tout le monde sauf Mandragone. [...]

Aux anges, j'ai salué les invités de papa pour les remercier. Quand je me suis relevée, j'ai aperçu Rosette derrière la vitre. Elle m'a fait un petit clin d'œil et je lui ai envoyé un baiser en retour. Grâce à elle, je sais danser maintenant !

MUSKAT, Bruno et Édith. « Le journal intime de la princesse Zélina », © *Astrapi*, no 558, 15 septembre 2002.

Leurs altesses le roi Igor de Noordévie et la princesse Zélina ouvrent le grand bal d'automne.

La forêt,
plus que des arbres !

Les forêts couvrent environ la moitié du Canada. Très riches, elles renferment 180 essences d'arbres. Elles abritent des centaines d'espèces d'animaux vertébrés. Quelle aubaine pour les amants de la nature !

Lors de ta prochaine randonnée en forêt, examine un arbre de la « tête au pied ». Tu dénicheras sans doute quelques oiseaux, mammifères et insectes qui s'y cachent.

Au pied des arbres croissent diverses plantes. Leurs feuilles, leurs fruits et leurs graines font les délices des ours, des lièvres, des souris, des perdrix, *etc.*

Si tu trouves un arbre mort, attarde-toi quelques instants. De nombreux insectes grouillent sous l'écorce d'un arbre mort tandis que ses cavités sont habitées par des pics, des mésanges ou des rongeurs.

Si tu pousses ta curiosité jusqu'à creuser le sol, tu y découvriras une foule d'organismes : vers de terre, insectes, mille-pattes, cloportes… Ce sont des décomposeurs.

Les décomposeurs jouent un rôle important : ils dégradent les plantes mortes et les cadavres d'animaux en petites particules qui serviront de nourriture aux végétaux. Des champions du recyclage ! D'autres décomposeurs du sol sont invisibles : ce sont les bactéries et les champignons microscopiques.

Nos forêts abritent 200 espèces de mammifères et près de 550 espèces d'oiseaux.

Pour reprendre contact avec la nature, quoi de mieux que de se balader en forêt ? Le choix d'activités est vaste : marche, raquette, ski de randonnée, vélo de montagne, camping, canot, pêche, chasse, observation d'oiseaux et plus encore !

La forêt, source d'emplois

Savais-tu que nos forêts emploient environ 880 000 personnes, soit un Canadien sur 15 ? Des ingénieurs forestiers, des employés des compagnies forestières, des gens qui travaillent dans des usines de pâtes et papier. Cela comprend aussi ceux dont le travail est indirectement lié à la forêt. Par exemple, les employés des usines où l'on fabrique les produits chimiques nécessaires à la production de papier.

Grâce aux arbres, nous fabriquons une foule de produits. Des meubles et du papier, bien sûr. Mais aussi des couches jetables, des instruments de musique, du liège, du sirop d'érable, du cellophane, des pellicules photographiques, des explosifs, des plastiques et même des vêtements. Eh oui ! La rayonne, un tissu utilisé pour les vêtements, est fabriquée avec de la pâte de bois.

Connaissons nos amis et nos ennemis

Les insectes sont essentiels aux forêts. Cependant, certains causent parfois d'importants dommages. Par le passé, des épidémies de tordeuses des bourgeons de l'épinette ont ravagé d'immenses superficies de forêts. Au Centre de foresterie des Laurentides, près de Québec, des scientifiques étudient les insectes forestiers. Pour mieux connaître ces insectes, les scientifiques les récoltent au moyen de pièges. Plusieurs contiennent un appât qui attire les insectes.

Les pièges lumineux reposent sur l'attrait des insectes pour la lumière. Selon les espèces qu'ils désirent capturer, les chercheurs utilisent une source lumineuse bleue, verte, blanche ou ultraviolette. Il y a quelques années, ces pièges ont permis de recenser plus de 500 espèces de papillons dans une érablière québécoise. Un record! Les chercheurs ont même capturé un papillon appartenant à une espèce inconnue!

D'autres pièges sont employés pour surveiller les populations d'insectes ravageurs. On tente ainsi de prévoir les infestations et de limiter les dommages. Par exemple, en récoltant les arbres plus tôt.

GOLDSTYN, Jacques (pour l'illustration). « La forêt, plus que des arbres! » © Les Débrouillards, no 164, mai 1997.

Jeu

Trouve quel animal sur cette illustration est: un jaseur des cèdres, une nyctale, un anolis, un monarque, un écureuil roux, une grenouille, un tamia rayé, une taupe, un lombric, un tatoo, un polatouche. Deux de ces animaux n'habitent pas nos forêts. Lesquels?

Solution: A: écureuil roux; B: jaseur des cèdres; C: nyctale; D: tamia rayé; E: polatouche; F: anolis; G: monarque; H: tatoo; I: grenouille; J: lombric; K: taupe.
L'anolis et le tatoo ne vivent pas dans nos forêts.

Je veux ma photo dans le journal

Avoir sa photo dans le journal, c'est facile comme bonjour ! Il suffit de faire quelque chose d'extraordinaire.

Oscar rangea sa chambre de fond en comble et le fit savoir à toute la maisonnée. Mais il ne fut pas question de photo dans le journal.

Oscar ne s'avoua pas battu. Il entreprit de laver la voiture rouge avec le tuyau d'arrosage du jardin. Naturellement, les vitres étaient ouvertes. Quand papa découvrit les sièges tout trempés, il réussit à ne pas se mettre en colère.

— Bravo, Oscar. Tu es le roi des inondations ! Faire plaisir à papa et à maman n'était pas la bonne solution pour avoir sa photo dans le journal. Il décida donc de faire une bêtise. Quelquefois, quand on fait de grosses bêtises, les journaux en parlent.

Oscar monta au premier étage et ouvrit en grand les deux robinets de la baignoire. Puis il grimpa sur le tabouret pour assister de près à la catastrophe.

Avec ça, la photo dans le journal, c'était dans la poche!
Il voyait déjà les gros titres:

DRAME DANS LA SALLE DE BAINS!

Oscar provoque la plus terrible inondation de l'année.

Papa obligé de refaire toute la tapisserie et les peintures!

La chambre d'Arthur ravagée par les eaux!

Toute la layette du bébé est inutilisable.

« Quelle catastrophe! » se lamente maman.

Malheureusement, ce fut l'heure que choisit maman pour la toilette d'Arthur. Elle remercia distraitement Oscar d'avoir rempli la baignoire et commença à déshabiller le bébé en roucoulant.

Oscar était désespéré. Non seulement personne ne s'intéressait à lui, mais en plus, il ratait même ses bêtises.

Il s'enferma dans sa chambre et se mit à réfléchir. Il fallait frapper un grand coup. Devenir un héros, tout simplement.

Par exemple, sauver dix personnes d'un coup dans un incendie, ou empêcher un paquebot de couler en bouchant les trous avec du chewing-gum. Mais c'était assez difficile.

Et s'il débarrassait la région d'un monstre épouvantable, comme dans les contes de fées?

Ça, c'était à sa portée!

MONCOMBLE, Gérard (pour le texte) et Gilles-Marie BAUR (pour l'illustration). *Je veux ma photo dans le journal*, Toulouse, © Éditions Milan Poche Benjamin, 1999 (Coll. Cadet aventure).

Fiche de
lecture
38

Le CL-215 de CANADAIR

L'OISEAU DE FEU!

AU QUÉBEC, UN FEU DE FORÊT SUR QUATRE EST CAUSÉ PAR...

LA FOUDRE!

CES INCENDIES FONT BEAUCOUP DE RAVAGES, CAR ILS SURVIENNENT...

...SOUVENT DANS DES ZONES ISOLÉES OÙ IL EST PLUS LONG D'INTERVENIR.

JE VIENS DE REPÉRER UN INCENDIE! ÇA SEMBLE SÉRIEUX! ENVOYEZ VITE LES CL-215!

VOICI LES COORDONNÉES . . .

48 HEURES PLUS TARD, LA SITUATION EST SOUS CONTRÔLE. DES OUVRIERS SUR LE TERRAIN S'ASSURENT QUE LE FEU NE COUVE PAS.

À L'OCCASION, LES CL-215 VIENNENT DÉPANNER LES POMPIERS DES VILLES POUR PLUS D'EFFICACITÉ, L'AVION PEUT ÊTRE DOTÉ D'UN RÉSERVOIR DE..

CHICOUTIMI 1972

..MOUSSE IGNIFUGE. MÉLANGÉE À L'EAU CETTE MOUSSE LUI PERMET D'ÊTRE PLUS RÉSISTANTE À LA CHALEUR...

...ET NE S'ÉVAPORE PAS EN ARRIVANT AU SOL. ELLE FORME UNE PELLICULE QUI ÉTOUFFE LES FLAMMES.

TSSSSSSS

LE CL-215 A ÉTÉ CONÇU À MONTRÉAL. C'EST LE SEUL AVION AU MONDE SPÉCIALISÉ DANS LA LUTTE CONTRE LES INCENDIES.
DEPUIS L'ENTRÉE EN SERVICE DU PREMIER APPAREIL, EN 1969 DEUX FOIS MOINS DE FORÊTS QUÉBÉCOISES SONT DÉTRUITES PAR LE FEU.

REVENONS PLUTÔT À NOS PILOTES.

GOLDSTYN, Jacques (pour le texte) et Alain GOSSELIN (AL + FLAG) (pour les illustrations). « Le CL-215 de Canadair », *Les Grands Débrouillards. 14 aventures scientifiques en B.D.*, Saint-Lambert, © Les Éditions Héritage inc., © Alain Gosselin (AL + FLAG), 1991, p. 34-36.

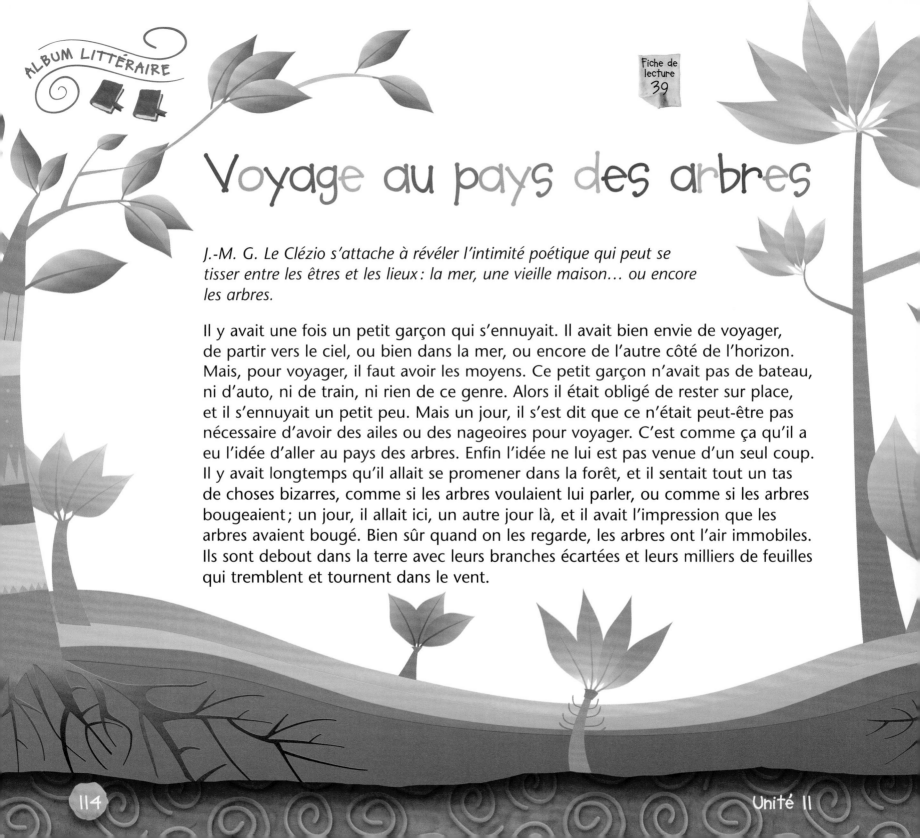

Voyage au pays des arbres

J.-M. G. Le Clézio s'attache à révéler l'intimité poétique qui peut se tisser entre les êtres et les lieux : la mer, une vieille maison… ou encore les arbres.

Il y avait une fois un petit garçon qui s'ennuyait. Il avait bien envie de voyager, de partir vers le ciel, ou bien dans la mer, ou encore de l'autre côté de l'horizon. Mais, pour voyager, il faut avoir les moyens. Ce petit garçon n'avait pas de bateau, ni d'auto, ni de train, ni rien de ce genre. Alors il était obligé de rester sur place, et il s'ennuyait un petit peu. Mais un jour, il s'est dit que ce n'était peut-être pas nécessaire d'avoir des ailes ou des nageoires pour voyager. C'est comme ça qu'il a eu l'idée d'aller au pays des arbres. Enfin l'idée ne lui est pas venue d'un seul coup. Il y avait longtemps qu'il allait se promener dans la forêt, et il sentait tout un tas de choses bizarres, comme si les arbres voulaient lui parler, ou comme si les arbres bougeaient ; un jour, il allait ici, un autre jour là, et il avait l'impression que les arbres avaient bougé. Bien sûr quand on les regarde, les arbres ont l'air immobiles. Ils sont debout dans la terre avec leurs branches écartées et leurs milliers de feuilles qui tremblent et tournent dans le vent.

Ça, c'est une ruse des arbres, pour faire croire qu'ils restent toujours au même endroit, pendant des années et des années. Ils ont l'air paisibles et doux, fixés dans la terre noire par les racines solides. Si on les regarde sans trop faire attention, on peut croire qu'ils ne veulent rien, qu'ils ne savent rien dire. Mais le petit garçon savait que ce n'était pas vraiment vrai. Les arbres ne sont pas immobiles. Ils ont l'air de dormir, comme cela, d'un sommeil épais qui dure des siècles. Ils ont l'air de ne penser à rien. Le petit garçon, lui, savait bien que les arbres ne dormaient pas. Seulement ils sont un peu farouches et timides, et quand ils voient un homme qui s'approche, ils resserrent l'étreinte de leurs racines, et ils font le mort. Ils sont un peu comme les coquillages à marée basse qui s'agrippent sur les vieux rochers chaque fois qu'ils entendent le bruit des pas d'un homme qui s'avance. Il faut apprivoiser les arbres.

Le Clézio, J.-M. G. « Voyage au pays des arbres », *Forêts*, Paris,
© Éditions Gallimard Jeunesse, 1997 (Coll. Folio cadet).

Le radeau des cimes

Depuis des décennies, les spécialistes des forêts équatoriales, qui couvrent 7 % de la planète, ignoraient tout de ce qui se passait à leurs sommets. Ils se contentaient d'arpenter la forêt, que l'on disait vierge, sombre et hostile à l'homme.

L'envie d'aller voir si, plus près du soleil, la vie est la même qu'en bas est en fait très récente. Cela s'explique facilement. Comment atteindre la **canopée**, la couronne des arbres, à plus de 30 ou 40 mètres de haut ? Quelques tentatives auront lieu, mais les chercheurs ne seront pas satisfaits. L'immense canopée garde son secret.

En route vers la canopée

Dans les années 1980, on commence à imaginer une autre approche. Et si on observait la forêt d'en haut ? Le premier ballon captif portant des services télécommandés a photographié l'« océan vert ». Essai furtif. Enfin, en 1985, deux hommes ont une idée de génie. Ils inventent une montgolfière pour survoler et observer la forêt. Un architecte s'associe à l'équipe et crée le fameux « radeau des cimes ». Déposé par le dirigeable, ce radeau fait d'un filet et de boudins de PVC opère un **arbrissage** en douceur sur la cime des arbres. Aucun bruit. Aucun dommage pour la forêt. Dans cette nacelle suspendue, les chercheurs harnachés comme des alpinistes peuvent découvrir de très près l'étendue de la canopée.

Canopée :
voûte de feuillage. C'est la partie de la forêt que l'on aperçoit d'en haut. C'est l'interface entre la forêt elle-même et l'atmosphère. Les scientifiques ne sont pas tous d'accord sur son épaisseur qui varie d'une dizaine de centimètres à quelques mètres.

Arbrissage, désarbrissage :
déposer, puis enlever le radeau de la canopée.

À la cime des arbres

Tous ceux qui ont eu la chance de grimper là-haut se souviennent avec émotion des ondulations pareilles à des vagues qui agitent les feuillages. De cette absence de silence aussi. Tous les bruits de la forêt : cris d'animaux, craquements de branches, chants d'oiseaux… remontent, amplifiés, de la pénombre. Tous ceux qui ont dormi dans le radeau vous le diront : passer une nuit là-haut, sentir la rosée qui vous enveloppe comme une pluie fine, assister au coucher du soleil, voir les fleurs s'ouvrir à ses premiers rayons, et enfin apercevoir, au-delà de l'immense étendue vallonnée, une mer, une montagne, c'est un spectacle qu'ils ne sont pas près d'oublier.

Les chercheurs prennent le temps de s'extasier, mais il faut faire vite.

Une expédition « radeau des cimes » coûte très cher ; les missions sont difficiles à organiser et ne se répètent pas tous les ans. De plus, on ne peut monter qu'à cinq sur le radeau, où le travail est long et minutieux. […]

Autant dire qu'il n'y a pas une minute à perdre. Dès les premières missions du radeau en 1986 dans la forêt guyanaise puis plus tard au Cameroun, les chercheurs comprennent que la canopée est d'une richesse inouïe. Une véritable arche de Noé ! Dans une zone située entre l'atmosphère et la forêt tropicale, qu'on appelle « l'interface », se produisent des phénomènes biologiques exceptionnels. Plus de 70 % des espèces vivantes vivent là : des plantes, des micro-organismes, des fruits, et même des familles d'insectes jamais vues. Un paradis pour les chercheurs.

Une richesse inexploitée

Comment expliquer la richesse de ce continent vert ? À la cime des arbres, la nature dispose de tout ce dont elle a besoin à profusion : énergie solaire brute, rayons ultraviolets, pluie pour éviter la sécheresse, et surtout pas d'humains pour détruire cet équilibre naturel. Un miracle !

Sur le radeau, les botanistes étudient surtout l'écologie et le peuplement de la cime comme la croissance des arbres. Ils ont découvert l'existence de ces plantes étranges, les épiphytes, venues se fixer sur les troncs des grands arbres et sans racines au sol. Quant aux entomologistes, ils observent les insectes pour comprendre leur rôle dans le transfert du pollen. Ils essaient également de savoir s'ils ont une responsabilité dans la transmission des maladies. Petit à petit, en vivant au rythme de la forêt, les chercheurs se sont aperçus que la forêt recelait des richesses plus subtiles encore.

En effet, les arbres de la canopée ne sont pas protégés comme les arbres des sous-bois ; au contraire, ils sont exposés au vent, à l'humidité, et aux prédateurs de toutes sortes. Pour se défendre, ils ont dû sécréter des substances chimiques qui se présentent sous forme de molécules actives. Ces substances pourraient tout à fait être utilisées dans l'industrie pharmaceutique ou médicale. Les chercheurs ont donc contacté des firmes susceptibles d'être intéressées par cette découverte. Elles sont nombreuses à avoir répondu à l'appel pour participer à l'opération Canopée. Mais cessons de rêver. L'« océan vert » est un vrai paradis mais un paradis menacé de mort. Francis Hallé, chercheur, spécialiste des forêts tropicales, rappelle avec amertume et colère que la forêt vit sa dernière heure et que le « radeau des cimes » est un bien fragile espoir. On abat aujourd'hui 40 hectares d'arbres à la minute !

À ce rythme, les forêts primaires auront disparu dans 25 ans !

Sauver la forêt

Comment dire aux bûcherons, qui ne parlent qu'avec des haches, les yeux rivés sur le prix du bois, qu'ils sont en train de détruire un patrimoine mondial et de tuer des milliers d'espèces de végétaux, d'insectes et d'autres animaux ?

Comment même leur expliquer qu'on peut faire vivre et vivre de la forêt sans l'endommager, simplement en l'étudiant et en exploitant les précieuses molécules qu'elle contient ? Francis Hallé est pourtant optimiste. Pour lui, il n'est pas trop tard même s'il est difficile de passer de l'âge de fer à l'ère des technologies de pointe. C'est une reconversion délicate. Le cri de la scie n'empêche toutefois pas les associations de défense des forêts équatoriales, qui se multiplient dans le monde, de se battre et de chercher des solutions pour sauver l'« océan vert ». Avec persévérance et le plus souvent possible, le « radeau des cimes », brûlé par le soleil, poursuit sa silencieuse aventure et les chercheurs, blottis dans la canopée, oublient un temps que le dernier continent a les pieds rongés par les plus terribles prédateurs de la planète : les humains.

« Le radeau des cimes », *Zoom 2002. Le monde d'aujourd'hui expliqué aux jeunes*, © Hachette Livre.

Les vacances de Rodolphe

Rodolphe choisit la chambre numéro 10, et il y dépose ses bagages. Comme il est en vacances, il oublie ses vieux réflexes de détective. Il ne regarde pas sous le lit ni dans le fond des garde-robes pour savoir si des voleurs s'y cachent. Il ne cherche même pas les micros et les caméras qui pourraient avoir été camouflés dans les pots de fleurs.

Le lendemain matin, premier jour de vacances, Rodolphe se réveille à dix heures et dix minutes. Il mange un copieux petit-déjeuner et décide de faire une promenade au hasard des rues.

En sortant de l'hôtel, il lance une pièce de monnaie dans les airs. Face, il tournera à gauche. Pile, à droite.

Face, il tourne à gauche au premier coin de rue. Pile, il tourne à droite au suivant. Pile, au suivant… face… face… pile… face… pile…

Rodolphe déambule ainsi dans les rues et les ruelles du village en savourant chaque seconde, chaque minute de ses vacances bien méritées.

En longeant la forêt, Rodolphe aperçoit un bambin qui pleure à chaudes larmes dans les bras de sa gardienne. La dame soupire :

— Hier, Étienne a oublié son ourson en peluche, ici, au parc.
Ce matin, l'ourson a disparu.

Dix mètres plus loin, une fillette s'écrie :

— On a volé mon ourson !

Dix pas plus loin, une maman hurle :

— On a volé l'ourson qui appartenait à ma grand-mère !

Dix minutes plus tard, un père s'écrie :

— Mais qui donc a volé l'ourson de mon fils ?

Soudain, en apercevant Rodolphe, tout le monde s'écrie en même temps :

— J'ai vu votre photographie dans le journal ! Vous êtes Rodolphe, le célèbre détective !

— Ne le criez pas trop fort, murmure Rodolphe... Je suis en vacances... vous comprenez ? Je... suis... en... vacances... en V...A...C...A...N...C...E...S.

Mais, en voyant tous les regards éplorés, le cœur de Rodolphe fond comme une guimauve au soleil. Il s'empare de son téléphone cellulaire, compose un numéro secret et demande en chuchotant :

— Est-ce que Momo, le voleur de jouets, est encore en prison ?

Rodolphe replace son téléphone dans sa poche et dit :

— Momo est encore en prison. Donc, un voleur rôde dans la région, un voleur spécialisé dans les oursons en peluche ! Vous devriez appeler la police, ou l'escouade anti-vol d'oursons. Parce que moi, je suis en vacances... en V...A...C...A...N...C...E...S.

Mais Rodolphe n'a pas fait dix pas qu'il entend :

— Ne partez pas !

Rodolphe résiste quelques instants. Il se rend au bout du parc, regarde les grands arbres se balancer dans le vent puis, le cœur meurtri, il revient sur ses pas :

— D'accord ! Montrez-moi l'endroit où se trouvaient les oursons avant qu'ils ne disparaissent.

— Le mien était ici... Le mien jouait sous le banc... Le mien dormait près de l'arbre... répondent les victimes en pointant le sol avec leur index.

Rodolphe dit en souriant :

— Bon... comme je suis en vacances, en V...A...C...A...N...C...E...S..., cela me ferait sans doute du bien de jouer dans le sable.

Tibo, Gilles. *Les vacances de Rodolphe*, Saint-Lambert, © Soulières éditeur, 2001 (Coll. Rodolphe le détective).

Explorateur dans l'âme?

*Bien des gens se disent bons explorateurs, mais qu'en est-il vraiment ?
Ce n'est pas tout de rêver d'explorer le désert à dos de chameau, de nager
avec les dauphins ou de déguster son premier plat de sauterelles ! En fait,
pour voyager, il faut posséder des aptitudes particulières. Les voici :*

1. Être prévoyant

Pour voyager en Afrique, par exemple, il faut être prévoyant. Personne ne peut décider de partir là-bas le lendemain matin, car il faut acheter son billet d'avion plusieurs mois à l'avance, de même que se procurer un passeport. Qu'est-ce que c'est un passeport? C'est un carnet émis par le gouvernement canadien qui permet d'aller à l'étranger.

Avant de partir à l'aventure, il faut aussi recevoir plusieurs vaccins pour éviter le plus possible d'être malade lors du voyage. En fait, dans les pays pauvres, l'eau n'est souvent pas potable et la nourriture peut être contaminée. Voilà pourquoi il faut protéger son corps contre tous ces envahisseurs microscopiques.

2. Être débrouillard

À moins d'être dans un pays où les gens parlent le français, il faut être débrouillard pour se faire comprendre. L'anglais peut dépanner à bien des endroits en ville. Toutefois, dans les villages, les gens ne parlent souvent que leur langue maternelle. Il faut donc user de son imagination pour communiquer avec eux. Les signes et les dessins peuvent être très utiles. Et s'il est possible pour le voyageur ou la voyageuse d'apprendre quelques mots dans leur langue, ils en seront très reconnaissants.

3. Être prêt à délaisser son confort pour quelques temps

La personne qui voyage dans les pays du tiers-monde doit accepter d'aller aux toilettes dans un trou ou de se coucher dans un lit moins confortable. Elle doit aussi s'attendre à manger la nourriture de la place même si elle semble étrange à première vue. Dans le cas où le touriste n'est pas prêt à délaisser son confort, il est préférable pour lui de s'en tenir à des voyages en Amérique du Nord ou en Europe. Toutefois, s'il veut faire quelques sacrifices en ce sens, il pourra se rendre à des endroits plus pauvres pour y découvrir des gens fascinants et des paysages magnifiques.

4. Se sentir bien dans la nature

Les pays du tiers-monde ont peu à offrir en ce qui a trait aux ordinateurs et à la télévision. Par contre, ils proposent des merveilles en ce qui a trait à la nature. En fait, ces endroits présentent des espaces si vastes et si beaux qu'ils en font rêver plusieurs.

5. Avoir l'esprit ouvert

Pour saisir la culture d'un peuple, il est bien important d'avoir l'esprit ouvert aux différences. Il faut respecter ces gens qui vivent différemment de nous. Ce n'est pas en jugeant les autres qu'il est possible d'en découvrir plus sur eux et de les comprendre.

MARLEAU, Stéphanie. « Explorateur dans l'âme ? » *Site des Débrouillards*, 4 juin 1999.

Les vacances de Lili Graffiti

Une fois à l'aéroport, ça a été très dur de dire au revoir à maman. J'ai bien vu qu'elle faisait tout son possible pour ne pas pleurer.

Elle était dans un tel état que j'ai oublié de lui dire de vérifier s'il n'y avait pas des puces dans mon lit, parce que je me suis fait piquer à deux endroits cette nuit. Ensuite, tante Pam et moi, nous sommes passées sous une grande porte et on a dû montrer nos passeports. Après, impossible de ressortir pour aller voir maman. Tante Pam dit que c'est toujours comme ça quand on part à l'étranger.

Alors on est allées s'asseoir dans la salle d'attente et on a commencé à jouer à un jeu de société. Juste au moment où j'allais gagner la partie, on entend une annonce dans le haut-parleur.

— Les voyageurs à mobilité réduite sont priés d'embarquer dès maintenant, ainsi que les personnes accompagnées d'enfants en bas âge.

Tante Pam me fait signe de la suivre avec le chariot.

Je ne vois vraiment pas pourquoi.

— Dis donc, je ne suis pas un enfant en bas âge, moi !

— Je sais. Mais tu es quand même assez jeune pour pouvoir monter avant les autres, alors, crois-moi, autant en profiter.

Nous montons dans l'avion et nous passons entre deux rangées de gros fauteuils.

— On se met là ? je demande en posant mon sac à dos.

— Non, mon chou, désolée, me répond tante Pam. Ici, ce sont les premières classes… un peu trop chic et chères pour nous.

Bon. Je reprends mon sac à dos.

Pendant ce temps-là, les hôtesses de l'air distribuent des journaux et des boissons aux milliardaires de première classe.

Nous continuons à avancer et nous arrivons dans un secteur où il y a beaucoup plus de sièges, nettement plus serrés et nettement plus petits.

— C'est ici !

Ma tante ouvre un drôle de placard accroché au plafond et elle y range son bagage à main.

— Tu veux t'asseoir près du hublot ?

— Oh oui !

Je saute sur mon siège sans penser que j'ai toujours mon sac sur le dos.

— Aïe !

Tante Pam m'aide à l'enlever et le glisse sous le siège de devant.

Je suis trop excitée ! C'est la première fois que je prends l'avion. Je regarde autour de moi. Quelle cohue !

Les gens essaient de fourrer des tonnes de choses dans les compartiments au-dessus d'eux. Un gros bonhomme se frotte le crâne parce qu'il vient de recevoir sur la tête une cage à oiseaux qui ne voulait absolument pas tenir dans le placard. Un autre se frotte le bras parce que quelqu'un lui a donné un grand coup de parapluie en passant dans l'allée.

— Maintenant, je comprends pourquoi tu voulais qu'on monte dans l'avion avant tout le monde ! je dis à tante Pam.

— Fais-moi confiance. Je vais à Londres au moins une fois par an depuis quinze ans. Je commence à m'y connaître en matière de voyages.

Elle me tapote la tête. Je déteste ça.

— Eh ! Je ne suis pas un chien !

Ma tante me jette un coup d'œil amusé.

— Excuse-moi, Lilibulle. Mais ne te plains pas : j'aurais pu en plus t'appeler Fido ou Bibichette.

Parfois, les gens que j'aime me rendent folle !

Il y a de plus en plus de monde et de moins en moins de place. L'avion est plein comme un œuf.

Je me demande ce que l'hôtesse a fait de la cage à oiseaux. Je me demande aussi où est passé l'oiseau qui habite normalement dans cette cage. Peut-être qu'il voyage de son côté et qu'il retrouvera son maître à Londres. Est-ce que les oiseaux ont besoin d'un passeport, eux aussi ?

Et cet avion ? Quand est-ce qu'il va se décider à décoller ?

J'attache ma ceinture. Je suis tellement excitée que je ne tiens plus en place.

La voix du pilote nous arrive par le haut-parleur. Il nous dit que l'avion est à destination de Londres et que s'il y a quelqu'un à bord qui n'a pas l'intention d'aller là-bas, il ferait mieux de descendre en vitesse.

Ensuite, l'un des stewards déroule un écran de cinéma et on nous passe un film pour nous expliquer les règles de sécurité et ce qu'il faut faire en cas d'urgence. Je me sens un peu nerveuse, tout d'un coup. Je me tourne vers tante Pam qui est en train de feuilleter un magazine.

— Tu ferais mieux d'écouter ce qu'ils disent. Entre nous, c'est toi la responsable, non?

Elle lève les yeux d'un air surpris.

— Ne t'inquiète pas, mon chou. Depuis le temps que je voyage, je connais les consignes par cœur.

L'avion roule sur la piste pendant un certain temps, puis il s'arrête derrière d'autres avions en attendant son tour. Que c'est long!

Au moment où je commence à croire qu'on ne s'envolera jamais, l'avion démarre en trombe et nous décollons.

C'est génial! Me voici dans les airs, moi, Lili Graffiti.

Quelque chose me dit que je ne suis pas près d'oublier ces deux semaines de vacances.

DANZIGER, Paula. *Les vacances de Lili Graffiti*, Paris, © Éditions Gallimard Jeunesse. Traduit de l'anglais par Pascale Jusforgues, 1998.

Mes activités nature

Au bord de l'eau

Là où la terre et l'eau se rencontrent, tu trouveras beaucoup de choses à faire.

Au bord de la mer, d'un lac ou d'un étang, la plage est un endroit extra-ordinaire pour sculpter le sable ou bâtir des châteaux, faire naviguer des petits bateaux, partir à la recherche des animaux qui vivent dans les mares.

Si tu as trop chaud, c'est si facile de piquer une tête pour te rafraîchir !

Pourquoi ne pas essayer un nouveau jeu dans l'eau ou bien fabriquer un tuba ?

Tu pourrais aussi apprendre à pagayer en canoë.
Il y a tant à faire au bord de l'eau !

À la campagne

À la campagne, il y a mille manières de s'amuser. Tu peux faire pousser des fleurs et observer les animaux en bâtissant un affût. Tu peux aussi construire une cabane et des nichoirs pour les oiseaux, un mât pour un drapeau ou un cerf-volant.

Sans oublier un hamac pour bercer ta sieste au grand air.

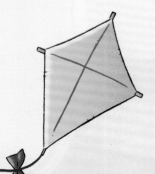

Les jours de pluie

Les jours de mauvais temps, bien à l'abri dans la douceur de la maison, tu peux fabriquer des instruments pour étudier la météo, des masques, des jeux de société et t'essayer à l'origami. Les filles apprécieront aussi le tissage de perles et la réalisation de bracelets de fil. S'il fait beau, ces activités constitueront également un passe-temps bien agréable !

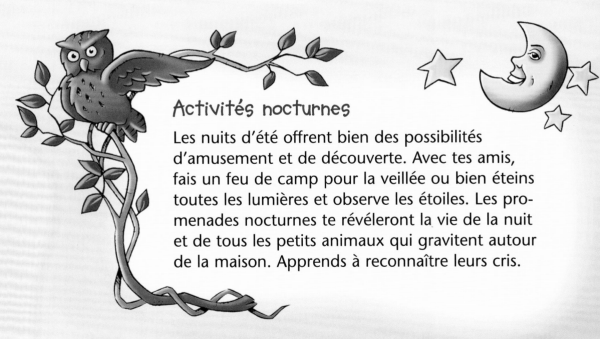

Travaux manuels

Aux alentours de la maison de vacances, tu dénicheras une foule de matériaux naturels pour tes travaux manuels. Tu pourras t'en servir pour préparer des teintures végétales pour tissus, créer des empreintes ou des tissages de plantes sauvages, faire de la poterie ou de la sculpture. [...]

Activités nocturnes

Les nuits d'été offrent bien des possibilités d'amusement et de découverte. Avec tes amis, fais un feu de camp pour la veillée ou bien éteins toutes les lumières et observe les étoiles. Les promenades nocturnes te révéleront la vie de la nuit et de tous les petits animaux qui gravitent autour de la maison. Apprends à reconnaître leurs cris.

DRAKE, Jane. *Mes activités nature*, Publication originale par Kids Can Press Ltd, 1993. Version française par les © Éditions Milan, 1999.

Écrire, pourquoi pas ?

Nous avons un travail d'écriture à remettre lundi prochain : une histoire courte. Écrire une histoire pour lundi prochain ? C'est sûrement une blague !

Malheureusement ton professeur ne blague pas du tout. Alors, comment vas-tu te tirer de ce mauvais pas ? Crois-le ou non, ce n'est pas si catastrophique que ça !

La première chose dont tu as besoin, bien sûr, c'est un sujet. Fouille tes méninges. Sont-elles aussi désertes que cette feuille de papier blanc qui s'étale devant toi ? Détends-toi, ferme les yeux et évite de regarder la feuille. Réfléchis. Que s'est-il passé dans ta vie ces derniers jours ? Je peux déjà entendre la réponse : RIEN !

Mais, c'est faux. Tu es vivante, non ?

Alors, il se passe des choses. Le chien a-t-il grignoté le nouveau sac à main en cuir italien de ta mère ?

As-tu été obligée de garder un enfant impossible ? T'es-tu chamaillée avec ta meilleure amie ? Ton professeur a-t-il demandé de produire une histoire comme travail de la semaine ?

Tu vois qu'il se passe des choses. Elles ne doivent pas être obligatoirement époustouflantes ou dramatiques, car bien souvent les histoires démarrent à partir d'événements insignifiants.

Ça ne débloque pas ? Pourquoi ne pas faire un « remue-méninges » ? Commence par rouvrir les yeux ; prends un crayon ou un stylo et commence à noter tout ce qui te passe par la tête sur cette feuille blanche qui te fait peur, mais ne te préoccupe pas d'avoir de la suite dans les idées. À cette étape-ci cela n'a aucune importance.

Par exemple :

— J'ai mordillé mon crayon avec tant d'ardeur qu'on croirait que c'est l'œuvre d'une souris.

— Je viens d'entendre un énorme bruit dans la cuisine.

— On vient de sonner à la porte.

Et ainsi de suite. Tu crois que ces idées ne peuvent pas servir à construire une histoire ? Tu vas voir plus loin ce que l'on peut en tirer.

Une autre façon de provoquer l'arrivée d'idées c'est de faire travailler ton cerveau pendant ton sommeil. Ce n'est pas parce que toi, tu dors, que ton cerveau ne peut pas rester éveillé.

Un jour que j'étais très occupée à la rédaction d'un roman, on m'a demandé de rédiger une histoire pour un manuel scolaire ; je n'avais pas tellement envie de consacrer du temps à écrire une histoire. Mais c'est très flatteur quand un éditeur vous fait une commande et j'ai pensé que ce serait idiot de ma part de refuser ce travail. Sauf que je n'avais pas la moindre idée en tête.

Je me suis interrogée sur mes activités des derniers jours. Tout ce que j'avais fait c'était de rester assise devant ma machine à écrire à rédiger un manuscrit. Il ne fait

pas de doute que, pour moi, cette activité était passionnante mais elle n'avait aucun intérêt pour les autres. Alors, je me suis mise à réfléchir. Je venais d'acheter un jeune *golden retriever* et mon fils de treize ans le conduisait à l'école de dressage. Encore un sujet dépourvu d'intérêt. Combien d'histoires racontant les aventures d'un garçon et de son chien avaient été écrites ? Des millions sans doute. Je me suis donc arrêtée là, mais le soir dans mon lit, je suis restée dans le noir à repenser à tout ça avant de m'endormir.

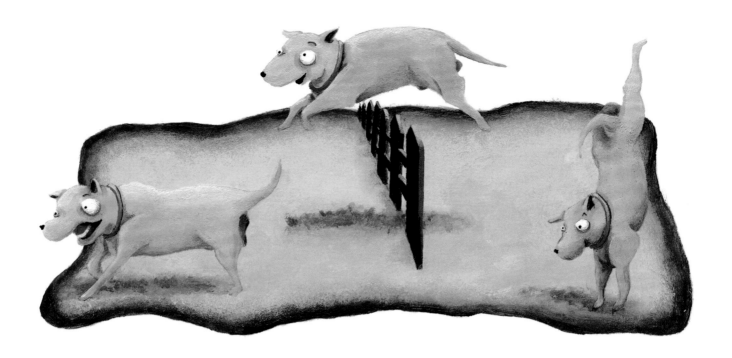

Je me suis souvenue d'un chien que j'avais croisé un matin en promenant le mien. Il avait perdu une patte, sans doute dans un piège, mais il savait sauter les clôtures, jouer et se déplacer aussi bien que n'importe quel chien à quatre pattes. Je pourrais peut-être utiliser cette idée-là. J'ai carrément dit à mon cerveau de travailler dessus pendant la nuit et je me suis endormie. En effet, à mon réveil le lendemain, le début d'une histoire était là qui m'attendait.

Imaginons qu'un garçon propriétaire d'un magnifique chien descendant d'une longue lignée de champions se mette en tête d'en faire aussi un vainqueur. Qu'arriverait-il si son superbe chien perdait une patte dans un piège? «Qu'arriverait-il si?» sont des mots magiques que tous les écrivains connaissent bien. Que ferait le garçon? Que ferait le chien?

Je me suis assise devant ma machine à écrire et j'ai tracé un plan sommaire. [...] Une histoire a commencé à prendre vie dans ma tête qui pourtant, la veille, m'avait paru aussi vide que le plus inexploré des déserts de sable d'Arabie.

Nos inquiétudes, nos peurs et nos ennuis personnels peuvent aussi servir de points de départ pour développer une histoire. Ce sont des afflictions que tout être humain connaît, toi comme le reste.

Je me rappelle le jour où j'ai failli me noyer en tentant de rescaper ma chienne [...] qui était tombée au travers de la glace. Pendant toute une semaine après, je n'arrivais pas à m'endormir le soir ou bien si je dormais, je m'éveillais en plein milieu de la nuit sans pouvoir retrouver le sommeil.

On aurait dit qu'à chaque fois que je fermais les yeux, je me retrouvais seule, tôt le matin, dans ce grand parc désert, avec le poids de mon manteau et de mes bottes m'entraînant vers le fond du lac. Puis, la scène se répétait.

Alors, un jour, je me suis installée et j'ai écrit l'histoire d'un garçon qui évite la noyade de justesse en essayant de sauver son chien. Je lui donnai le titre : *Jamais plus*.

C'était une histoire palpitante et elle avait le mérite de mettre les enfants en garde d'une façon tangible sur les dangers de s'aventurer sur l'eau gelée. Mais elle me permit surtout d'extérioriser mes peurs et mes sentiments en les fixant sur le papier si bien qu'à partir de ce jour, je retrouvai le sommeil. (Les chiens ne connaissent pas ces angoisses ; ma chienne avait eu l'air de bien s'amuser surtout quand nous barbotions toutes les deux dans l'eau.)

Pense à tes propres peurs et ennuis, puis essaie d'en parler. Tu peux déguiser les gens et les situations si c'est trop personnel. Et en plus de découvrir un bon sujet pour une histoire, tu trouveras peut-être des réponses ou des solutions à tes propres problèmes. C'est ce qui correspond à l'expression : « Faire d'une pierre deux coups ». Soi dit en passant, n'est-ce pas que cette phrase fait naître toutes sortes d'images qui pourraient servir dans une histoire ?

BRADFORD, Karleen. *Écrire, pourquoi pas ?* Richmond Hill, © Scholastic Canada Ltd, 1990.

Le sourire de La Joconde

C'est la deuxième fois que j'atterris en France. Je viens passer un mois avec Papi. Il me fera d'abord visiter Paris. Puis nous prendrons le train pour l'Italie.

Je ne me souviens pas de ma première rencontre avec grand-père. C'est normal, j'avais à peine trois ans à l'époque. Il paraît que Papi était fou de joie ! Il ne savait pas quoi inventer pour me faire plaisir.

Il m'a emmené partout. Papa et maman m'ont souvent raconté les bons moments passés à l'aquarium de Paris et au zoo de Vincennes.

Malheureusement, j'ai tout oublié. Tout. À part de gros rochers escarpés couverts de singes. Et un éléphant qui tendait sa trompe pour attraper la cacahuète que je lui présentais.

Papi est italien. Un vrai de vrai ! Avec un accent qui chante. Et une voix pour l'opéra.

À vingt ans, Papi a quitté l'Italie pour venir travailler à Paris. En arrivant ici, il a fait la connaissance de grand-mère. Ils se sont mariés. Mon père est né quelques années plus tard.

Je n'ai pas connu grand-mère. Elle est morte avant ma naissance. Après l'enterrement, papa est parti vivre au Québec. Il a rencontré maman à Montréal. C'est là que nous vivons.

Depuis la mort de grand-mère, Papi vit seul. On n'entre pas chez lui facilement. Il faut d'abord déverrouiller une porte étroite percée dans le mur de pierre entourant son petit domaine.

On découvre alors une allée de fins cailloux jaunes et blancs. Un parterre de roses. Et deux maisons côte à côte. L'une, imposante. L'autre, toute petite. C'est la maison de grand-père.

La voisine, Jacqueline, qui habite avec son mari dans la grande maison, affirme que grand-père est un poète.

La Joconde

Il est vrai que rien n'échappe à Papi. Tout l'émerveille. Une plante sauvage nichée entre les pierres. Le vol d'un oiseau. Un escargot sur le muret du potager où il cultive des tomates.

Vingt fois par jour, avec son accent inimitable, il me lance :

— Regarde, mon François ! Regarde comme c'est beau !

Grand-père s'y connaît en beauté ! Depuis près de vingt ans, il travaille au Louvre. Le Louvre, c'est un des plus grands musées de la planète !

Michel, le mari de Jacqueline, me l'a affirmé :

— C'est plein de trésors là-dedans ! Une vraie caverne d'Ali Baba. Ton grand-père, lui, il veille sur *La Joconde* qui est aussi connue sous le nom de *Mona Lisa*.

Jacqueline me sourit malicieusement.

— Alors, le petit Québécois, tu connais *La Joconde*?

— Bien sûr! C'est la dame qui a un sourire en coin. Je l'ai vue dans des publicités à la télé.

— Eh! eh! s'exclame Michel, cette toile a été peinte par Leonardo da Vinci. Tu as entendu parler de Léonard de Vinci?

Sans me donner le temps de répondre, Michel enchaîne:

— Leonardo était à la fois peintre, sculpteur, architecte, ingénieur et savant. Il est né en 1452 à Vinci, près de Florence. Un Italien. Comme ton grand-père.

— Je le savais. À l'école, le professeur nous a montré certaines de ses inventions. En 1987, il y a eu une exposition au Musée des beaux-arts de Montréal. Il paraît que c'était super. Les visiteurs ont même pu admirer ses machines volantes.

— Mais sais-tu combien de temps il a fallu à Leonardo pour achever son tableau?

Là, je suis obligé d'admettre mon ignorance.

— Trois ans, mon bonhomme! Trois longues années. On raconte que Leonardo emportait son tableau partout. Il le voulait tellement parfait qu'il n'arrêtait pas de le retoucher. Résultat? Cinq cents ans plus tard, le sourire de *La Joconde* est célèbre dans le monde entier!

J'aime bien Jacqueline et Michel. Comme ils n'ont pas encore de petits-enfants, ça leur fait plaisir de s'occuper de moi durant la journée.

Michel et Jacqueline se sont installés ici en même temps que grand-père. Après toutes ces années, ils le considèrent comme un membre de leur famille.

Jacqueline me tend un morceau de chocolat.

— C'est demain le grand jour!

— Comment ça?

— Demain soir, ton grand-père sera en vacances! Tu sais, voilà longtemps que ça ne lui est pas arrivé. Il a fallu que tu viennes pour qu'il se décide à prendre un congé.

— Eh oui, mon bonhomme, ajoute Michel, c'est comme ça. Depuis qu'il prend soin de *La Joconde*, ton grand-père a toujours refusé de partir en vacances.

Jacqueline sourit.

— Cet été, c'est différent. Tu es ici.

Alors là, je suis complètement sonné! Comment peut-on refuser de prendre des vacances? Moi, le dernier jour d'école, je bondis dehors plus vite qu'un sprinter olympique. Pour rien au monde, je ne resterais en classe une seconde de plus!

Grand-père, lui, est peut-être un bourreau de travail. À moins que...

Boucher Mativat, Marie-Andrée. *Le sourire de La Joconde*, Saint-Laurent, © Éditions Pierre Tisseyre, 1999.

L'Île-Blanche

J'ai hâte d'arriver à l'Île-Blanche ! Je n'y suis encore jamais allé. Pauline et Antoine s'y sont installés le printemps dernier.

J'adore mes grands-parents ! Surtout mon grand-père. Il a toujours une histoire passionnante à raconter. Antoine est un ancien pilote d'avion. Il a voyagé partout à travers le monde. À sa retraite, grand-père a eu envie de poser ses valises dans un endroit calme et c'est comme ça que grand-mère et lui sont venus habiter dans l'Île.

Ils y ont acheté une maison ancienne. Un presbytère. C'est là que logeait le curé de l'Île, autrefois. Quand le traversier nous a déposés sur le quai, j'ai eu un choc ! Cet endroit me donne la chair de poule !

Ah ! pour être calme, c'est calme ! Quelques moutons. Un phare abandonné. Une trentaine de maisons multicolores éparpillées le long d'un chemin de terre. Une petite école en bardeaux noircis, comme on en voit sur les vieilles photos. Une église de bois blanc. Le presbytère. Et rien d'autre à l'horizon que le fleuve. Le fleuve si large qu'on dirait la mer !

La nouvelle maison de mes grands-parents est super! Immense! Avec un grand hall d'entrée. Une vaste salle à manger. Une cuisine. Deux salons. Cinq chambres. Et surtout, un grenier.

Un grenier! Le rêve! Il doit sûrement contenir un bric-à-brac extraordinaire. Dès demain, je monte là-haut!

Pauline et Antoine sont rayonnants!

— Nous sommes si contents de vous voir! Allez vite défaire vos valises. Ensuite, nous souperons, puis nous irons admirer le coucher de soleil.

— Nulle part au monde, renchérit Antoine, je n'en ai vu de plus beaux!

Je ne demande pas mieux que de le croire!

— Ton chat ne m'a pas l'air dans son assiette, me fait remarquer Pauline, en me servant ma soupe.

C'est vrai que, depuis notre arrivée, Kamikaze a un comportement bizarre. Tantôt il regarde fixement dans les airs et il bondit comme s'il tentait d'attraper une proie invisible, tantôt, il se met à courir à travers la maison, sans raison apparente.

— On jurerait qu'il a des visions, ajoute encore grand-mère.

Antoine esquisse un petit sourire:

— Ce sont sans doute les mauvais esprits du presbytère qui lui font des misères.

Je n'en croyais pas mes oreilles!

— Des mauvais esprits! Ici? Tu me fais marcher!

— Pas du tout ! réplique Antoine. Pendant des années, bien des gens y ont cru dur comme fer !

— Ainsi, il existe une légende rattachée à cette maison ? demande Claude qui se passionne pour les contes et légendes.

— En effet, reprend Antoine, il y a très longtemps, probablement à la suite d'un naufrage, un insulaire aurait trouvé un livre étrange sur la grève. Fasciné par son format imposant et sa reliure unique, l'homme aurait traîné l'ouvrage jusqu'à la maison afin de l'examiner attentivement.

Aussitôt, une série de malheurs se seraient abattus sur son foyer. Son fils serait mort subitement. Sa femme aurait été victime d'un grave accident. Ses moutons auraient été emportés par un mal mystérieux tandis que sa bergerie disparaissait dans les flammes.

L'homme aurait tenté, par divers moyens, de détruire le volume. En vain. Désespéré, il l'aurait apporté ici, au presbytère, convaincu que tant que ce livre maudit serait entre les mains du curé, les forces maléfiques ne pourraient rien contre les habitants de l'Île.

Décidément, Antoine est un sacré conteur ! À lui seul ce récit vaut le voyage.

— Et alors ?

Pauline me sourit :

— Rien. La vie a continué comme avant. Au fil des années, des familles entières ont déserté l'Île pour trouver du travail ailleurs. L'école a fermé. L'église aussi. Le curé a quitté le presbytère.

— Qu'est-il advenu du livre ? demande Manon au moment où Kami s'élance dans une folle cavalcade autour de la table.

Antoine prend la relève de grand-mère :

— Personne ne le sait. Avec le départ du curé, certains vieux se sont mis à redouter le pire. La malédiction du grimoire allait-elle s'abattre à nouveau sur l'Île ?

— Pendant des années, cette maison est donc restée inhabitée. Personne n'était intéressé à faire l'acquisition d'une propriété qui avait si mauvaise réputation. Mais, quand nous l'avons vue, Antoine et moi, nous avons eu le coup de foudre et nous n'avons pas hésité une seconde à l'acheter.

Une question me brûle les lèvres :

— C'est quoi, un grimoire ?

— Un grimoire ou un Agrippa, c'est un livre de magie, de sorcellerie. Il contient des formules mystérieuses qui te permettent d'acquérir des connaissances, de réaliser tes désirs les plus chers ou de faire fortune.

— Wow !

— On prétend que ces livres étaient signés de la main même du diable ! laisse tomber Antoine d'une voix caverneuse.

Tout le monde éclate de rire.

BOUCHER MATIVAT, Marie-André. *Voyageur malgré lui*, Saint-Laurent, © Éditions Pierre Tisseyre, 1996.

Bibitsa ou l'étrange voyage de Clara Vic

Fiche de lecture 48

J'irai voir pour toi la ville, la maison et je te raconterai comment c'est aujourd'hui, puisque toi, tu n'y es jamais allé.

« Jamais je n'oublierai cette ville », écrit Clara Vic dans son cahier rouge le jour où elle débarque à Istanbul. Et le soir même, elle écrit à Bibelas :

« Tu devrais voir, tout est gris et en même temps, on dirait qu'il y a de l'or partout. Je vois ce que voyait ta Bibitsa quand elle venait dans la grande ville. »

Clara sait qu'elle n'oubliera jamais la gare d'Istanbul. La douceur de la gare d'Istanbul. Quelque chose d'étrangement doux entre les murs de cette gare. Les odeurs de la gare d'Istanbul. Les odeurs autour de la gare d'Istanbul.

La cathédrale Sainte-Sophie de Constantinople

Les bateaux se croisent comme des autos tamponneuses et à les voir aller, on a peur qu'ils se frappent. Des cargos russes, des chaloupes à moteur, toutes sortes de bateaux. N'importe quoi pourrait arriver. Il y a des barques qui viennent s'amarrer entre deux traversiers chaque cinq minutes. Il doit sûrement y avoir des accidents. La chose la plus étonnante que j'ai vue, c'est une toute petite barque, coincée entre deux traversiers chargés de centaines de personnes. Dans la barque, deux pêcheurs et un monceau de poissons. Au centre de la barque, il y a un feu, un feu au-dessus duquel des poissons sont en train de frire dans une immense poêle ronde. Tout ça dans les vagues et les remous. Les pêcheurs préparent des sandwiches au poisson qu'ils vendent aux gens sur le quai. Il y a même une salière attachée par une corde à la clôture du quai au cas où le poisson ne serait pas assez salé. Et des armées de goélands qui viennent chercher les miettes.

Et puis le port, tout près. Plus qu'une gare, plus que le plus gros terminus, que tous les ports qu'elle a connus jusque-là, celui d'Istanbul est un endroit de bout du monde.

Depuis deux ans, Clara Vic habite une île de la mer Égée et lorsqu'on vit dans une île, c'est dans une grande ville qu'on part en vacances.

Île grecque

Destination Istanbul

Quand son père lui a annoncé qu'ils allaient passer trois semaines en Turquie, Clara s'est empressée d'écrire à Bibelas.

Bibelas habite à dix heures de bateau de l'île de Clara. Son île à lui est blottie contre la côte turque et pourtant, c'est une île aussi grecque que celle de Clara. « Nous avons chacun notre île, tu te rends compte ? » lui avait-elle écrit un jour.

Bibelas avait répondu : « Nous habitons chacun une île en attendant. Rien qu'en attendant. Toi, de rentrer chez toi, moi, de retrouver le vrai pays d'où je viens. » Car dans l'île de Bibelas vivent des centaines de familles, chassées de Turquie au début du siècle, réfugiées dans cette île toute proche de la côte turque.

Chaque fois que Bibelas parle de sa famille, Clara voudrait en savoir plus. L'histoire l'intrigue. Bibelas parle de fuite, de guerre et de trésors, de terres perdues, volées, reprises et finalement perdues pour toujours. Bibelas parle de fausses frontières, de villages à reprendre un jour, d'un pays à retrouver. Bibelas parle surtout de la maison de Bibitsa, perdue, oubliée là-bas sur la côte turque, qu'il ira voir un jour.

Le cheval de Troie

Est-ce que tout cela est vrai, se demande Clara, ou est-ce qu'il invente ? « C'est l'histoire de Bibitsa ! », rétorque-t-il, comme si c'était une preuve. Bibitsa. Bibitsa Bibelas qui a vécu la révolution de 1922.

Clara voudrait bien tout savoir, connaître les détails de cette curieuse histoire de famille. Mais les histoires de révolution ne sont pas faciles à comprendre.

« Je pars pour Istanbul, lui écrit Clara dès qu'elle apprend qu'elle part pour la Turquie. On ira voir aussi le cheval de Troie, on ira voir Pergame et Éphèse. Je voudrais bien aller dans la ville de ta Bibitsa, si jamais on passe par là. Raconte-moi tout. J'irai voir pour toi la ville, la maison et je te raconterai comment c'est aujourd'hui puisque toi, tu n'y es jamais allé. »

DUCHESNE, Christiane. *Bibitsa ou l'étrange voyage de Clara Vic*, Montréal, © Éditions Québec/Amérique, 1991.